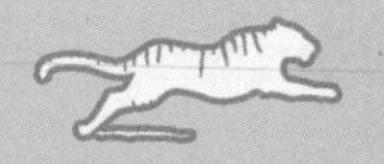

CHAOJI CHENGZHANG BAN

MAOXIAN XIAOHUDUI

超级成长版

冒险小虎队

会流泪的骷髅

MAOXIAN

XIAOHUDUI

[奥地利] 托马斯·布热齐纳　著

维尔纳·埃曼　插图

刘沁卉　译

浙江少年儿童出版社

冒险小虎队成员个人档案

名: 路克(路卡斯)　**姓:** 坎平斯基

年龄: 11岁
生日: 2月1日
发色: 稻草金
眼睛颜色: 蓝中带绿
个人特点: 身边总带着百宝箱

我喜欢

食物: 汉堡加薯条
饮料: 柠檬可乐
颜色: 绿色
动物: 狐狸
音乐: 只要是我能跟着哼哼的音乐我都喜欢
课程: 物理,数学
业余爱好: 遥控模型(曾制作了一台会走的冰箱)

我讨厌

思路中断,整洁(我很少有井井有条的时候),为达到目的无所不为的人和自以为无所不知的人

梦想的职业: 发明家
最大的愿望: 拥有一台和我爸爸那台一样好的电脑

冒险小虎队成员个人档案

名：碧吉　姓：波尔格

年龄：12岁
生日：6月12日
发色：金黄色
眼睛颜色：海水蓝
个人特点：身边总带着吃的东西

我喜欢

食物：榛子巧克力
饮料：热带水果饮料
颜色：橙色
动物：美洲驼
音乐：摇滚乐
课程：生物
业余爱好：收藏，写日记

我讨厌

萎靡不振的男孩，老说废话的人，家庭作业，太短的假期，无视我的大人

梦想的职业：兽医或飞行员
最大的愿望：有一匹属于自己的马

冒险小虎队成员个人档案

名:帕特里克 **姓:**施泰因布伦纳

年龄:12岁

生日:7月28日

发色:黑

眼睛颜色:典型的深棕色

个人特点:总是穿着运动服

我喜欢

食物:比萨饼

饮料:冰茶

颜色:蓝色

动物:我的小兔子班尼

音乐:一种节奏较快较强的电子音乐

课程:课间休息

业余爱好:各种体育运动

我讨厌

考试,不光明正大的人,愚蠢的人,坐火车,穿着太紧并使皮肤发痒的漂亮衣服

梦想的职业:特技演员

最大的愿望:跳伞

欢迎你成为第四只小虎
请你也介绍一下自己

名：

姓：

年龄：
生日：
发色：
眼睛颜色：
个人特点：

贴上
你的照片

我喜欢

食物：
饮料：
颜色：
动物：
音乐：
课程：
业余爱好：

我讨厌

梦想的职业：

最大的愿望：

会流泪的骷髅

好，第四只小虎，你马上就要进入破案现场了，准备一下吧！请你先熟悉一下你手中的破案工具——多功能特种解密卡。

功能1·小虎解密卡

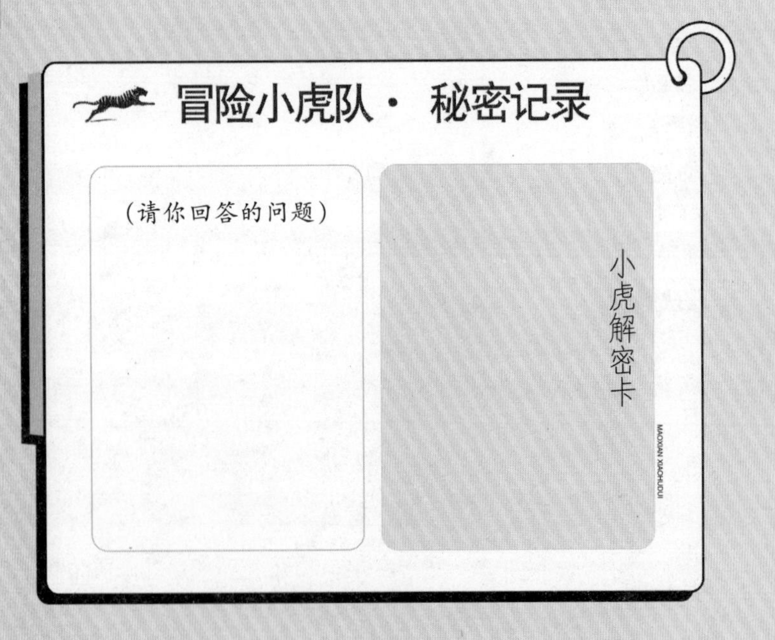

在"请你回答的问题"中,所有的答案都被加密了。你必须把小虎解密卡平放在灰色的区块上,并缓缓地转动,直到你看清文字为止。

功能 2·暗语破译卡

小虎队员留下暗语时,你需要使用暗语破译卡进行破译。

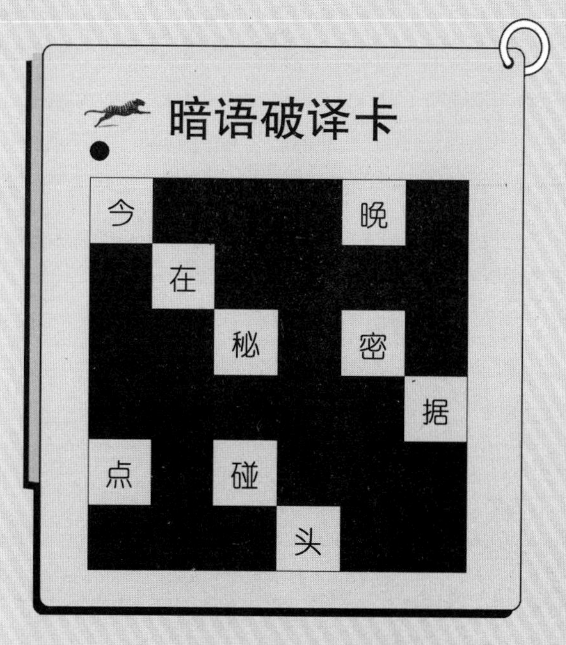

1. 将卡片平放在暗语上,使卡片左上角的圆圈对准暗语左上角的圆点,这时你能够从方格中

看到文字，这就是暗语的第一部分。

2. 将卡片沿顺时针方向旋转90度，使卡片上的圆圈对准暗语右上角的圆点，这时你从方格中看到的文字是暗语的第二部分。

3. 继续将卡片沿顺时针方向旋转90度，使卡片上的圆圈对准暗语右下角的圆点，你又能看到文字了。

4. 最后再将卡片沿顺时针方向旋转一次，使卡片上的圆圈对准暗语左下角的圆点，你看到的是暗语的最后一部分。

功能3·定位搜索卡

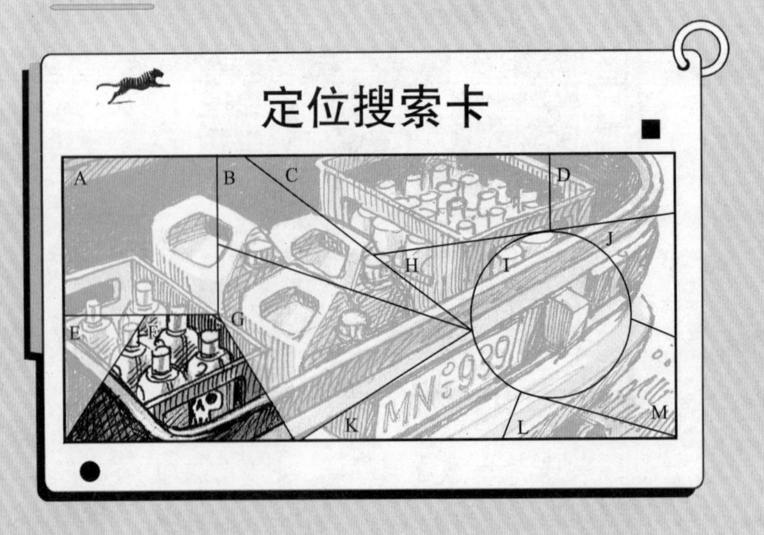

将定位搜索卡平放在插图上，使卡片上的圆孔对准插图上的圆点，卡片上的方孔对准插图上的方点，这样就能把你要搜索的目标准确定位在某个区域了。

记住：每答对一题，就给自己记1分，并将最终得分填在书末的破案成绩卡上。

现在请你进入破案现场！

目录 mulu

超级成长版

冒险小虎队（长篇小说）

会流泪的骷髅

MAOXIAN XIAOHUDUI

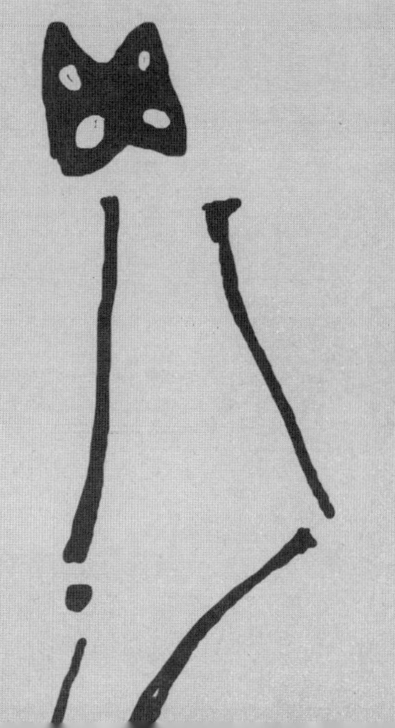

拒绝顾客的老板

一家旧货店橱窗的玻璃柜里，摆放着一只骷髅，鲜红的眼泪仿佛正从黑洞洞的眼窝里淌出来——这便是有名的流泪的骷髅。三只小虎正站在橱窗前饶有兴趣地打量着它。

关于流泪的骷髅的传说，路克早有耳闻。“这东西是在一座鬼宅里发现的，它会在某些日子里流眼泪。如果眼泪是红色的，就代表有人会受伤；如果是黑色的，就代表有人会死去；要是黄色的，那预

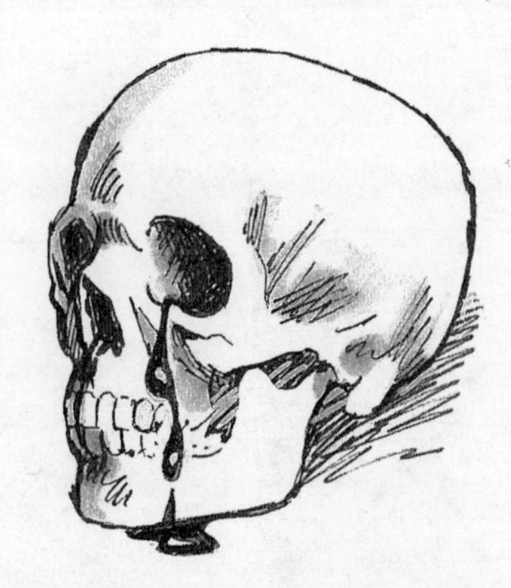

示着宅子要大喜临门。”

碧吉美美地咬了一口榛子巧克力，说道：“这玩意儿我得靠近点仔细看。”

帕特里克推开了旧货店的大门，挂在门上的一串老式风铃叮叮当当地响了起来。

“有人在吗？”三只小虎同时问候，然而店里没有人应答。

屋子里的空气热乎乎的，散发着霉味。货架上各种又破又旧的杂物一直堆到房顶。几把磨得亮闪闪的佩剑挂在墙上，剑与剑之间挂着左轮手枪，里面应该没装子弹。小虎们一边在店里转悠，一边等待着售货员。

这期间，路克找到了一顶歇洛克·福尔摩斯式的帽子，迫不及待地把它戴在自己头上；帕特里克穿上了一条大方格的羊毛呢裙子；而碧吉正努力地吹着一支苏格兰风笛，最后竟然真的吹响了，只

是声音听上去非常刺耳。

“求求你别吹啦！”两个男孩乞求道。

“要想将来成为大师，我得天天练习呀。”碧吉笑着说道，继续从古老的乐器里吹出咿咿呀呀的音符。

帕特里克把旧货店的玻璃橱窗当成了临时镜子，他来回仔细欣赏着自己。他还从来没有穿过裙子哩，尤其是这种厚重的毛呢料裙子，它刺得人直发痒。

一个身影在玻璃橱窗前一闪而过。帕特里克抬起头，只见门口站着一位身

材苗条的姑娘，一头长发一直垂到肩膀上。看样子她是想到店里来，可是一看到帕特里克，握住门把手的手又缩了回去。

三只小虎的背后传来一阵“吱呀呀”的声音。接着，一股刺鼻的香烟味扑面而来。一个小个子男人从一扇窄门里走了出来，他干瘪瘦小，头上只剩几绺稀疏的头发。明明是夏天，他却穿着一件磨得发亮的编织毛衣，脚上穿着加了羊皮衬里的棉鞋。

他两只幽深的眼睛发出咄咄逼人的目光，把三只小虎先后打量了一番。

“你们想要干什么？”他的声音尖得像哨子声。不等三个小侦探回答，小个子男人把目光转向了门外的姑娘。他的眉毛向上挑了挑，像是给了她一个信号。接着，姑娘就转身离开了。

“我正在跟客户通电话，没空理会你们！”小个子男人一边挥挥手把小虎们赶到了店外,一边拿回了风笛、帽子和裙子,然后"砰"的一声关上了门。

"这叫什么事儿呀!"碧吉气呼呼地吐着粗气,额头上的头发被吹得一抖一抖的。

路克手里摆弄着眼镜,咕哝道:"那家伙根本没在打电话,他屋里有客人,只是不想让我们知道罢了。"

冒险小虎队·秘密记录

路克的猜测是有重要根据的。他是根据什么判断的呢?

黑色眼泪

路克的百宝箱里传出一阵警笛声，听上去像是美国消防队来了。不论走到哪里，路克总是带着他的百宝箱，并不断地往里面补充新玩意儿：从手电筒到迷你电脑、到一架能在夜间当望远镜的特殊照相机，各种破案工具应有尽有。不过这警笛声是他的手机铃声——路克匆匆瞥了一眼显示屏，随即翻了翻白眼珠，无奈地接了电话：“喂，妈妈！”

电话那边响起凯平斯基太太的大嗓门，连至少离路克有两步之远的碧吉和帕特里克都听见了。

“宝贝儿，可别忘了今天晚上卢姆巴赫家的聚会。你一定要去，说好了的！我也要像别的母亲一样炫耀一下我的宝贝儿子。”

“知道啦。”路克沮丧地垂下了脑袋，就像有只沉重的幼象骑在他肩上似的。

“快点回家换衣服吧，我们一个半小时以后就出发了。”

“好吧，妈妈。”路克挂了电话，把手机塞回百宝箱。

“我得走了，很抱歉！”路克很不情愿地跟伙伴们告别。

碧吉把胳膊搭在路克肩上，关切地问：“有那么糟糕吗？”

“唉，一个古板又无聊的聚会，是个超级富有的超级大款在他的超级豪华别墅里举办的，他把我们全家人都请上了。我妈说，只要我去，她就给我买一个纯平显示器。”

帕特里克在路克背上重重地拍了一掌，弄得路克往前踉跄了一步。“那就好好当你的甜心宝贝和魅力绅士吧！你会赢得那些妈妈和女孩子的芳心的！”

路克的脸红了，他最听不得甜心宝贝和魅力绅士这些词儿。

去拿自行车之前，三只小虎又朝橱窗里的“流泪的骷髅”看了最后一眼。

苍白的骷髅也用黑黝黝的眼窝看着外面的一切。

碧吉发现，骷髅的木头底座上的小槽里有一摊黑色的液体在闪闪发光。“这

个刚才就有吗?”碧吉干咽了一口唾沫,问道。

两个男孩耸耸肩,对此他们也没什么印象。

“骷髅到底哭了没有?”碧吉疑惑的目光一会儿看看路克,一会儿又看看帕特里克,“你不是说,黑色眼泪代表死亡吗?”

路克故作轻松地回答道:“哦,那不过是个古老的传说罢了。”

听到鬼呀、死亡呀什么的,帕特里克就浑身不舒服,不过他没作明显的表露。

之前他们把自行车锁在一根路灯柱上，现在车子都还好好地放在那儿。路克打开车锁，独自骑车上了路。他为了抄近道，钻进了街边的小巷，脑子里还在想着旧货店里那个举止奇怪的老板。

呼呼吹来的风将一个匆匆吐出来的词送到路克耳中。

“巫师！”

路克放慢车速，扭头看看周围。只见一辆豪华的敞篷跑车里，端坐着一位姑娘，她正在用秀气的小手机打电话，看样子很激动。这位姑娘正是刚才想进旧货店的那个人。她背朝路克，所以没有看见他，也没有注意到他慢慢下了车，溜到停在街对面的一辆汽车后面躲了起来。

“我想去找他，可他把我打发走了。”

路克刚才没听错吗？是姑娘说了“巫师”这个词吗？

在窥视姑娘一举一动的时候，路克

突然想起了旧货店里的那扇门。那个小个子男人推开那扇门时发出的“吱呀呀”的声音说明门上有橡胶密封圈。这门真是有点古怪，近乎可疑的古怪。

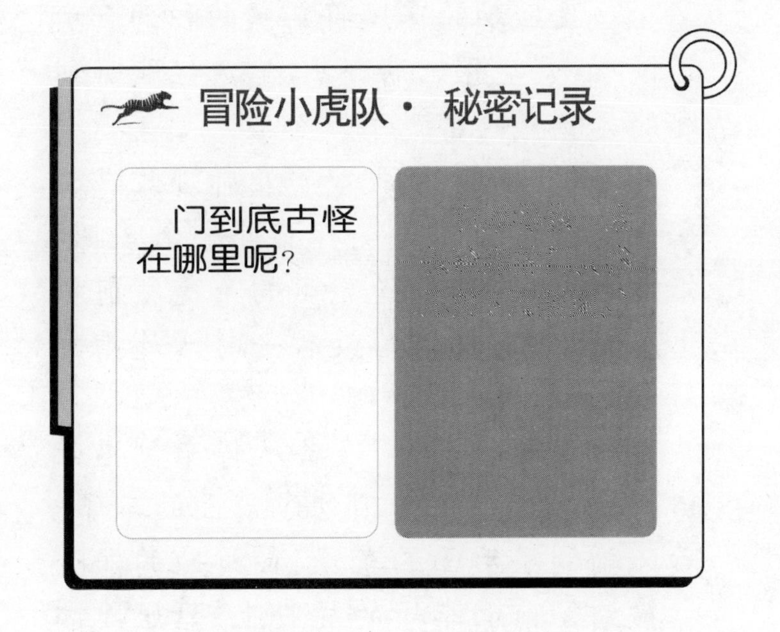

化装宴会

一股强劲的暖风将乌黑的积雨云吹了过来。天空开始渐渐阴沉，已经能听到远处轰隆隆的雷声了。

“伊莎贝尔，我也要去巫师那儿！”

这回路克可是没有漏掉一个字。姑娘看看天空，把敞篷跑车的车篷朝前拉上了。路克捕捉到的最后一句话是：“那好吧，我以后再试试吧。”

姑娘发动车子，准备从停车位里开出来。结果，她先是顶到了前面的车子，后又蹭到了后面的车子，最终她的保险杠撞到了前面车子的屁股上。姑娘懊恼地从车上跳下来，查看了一下车子的受损情况，然后把一张五百欧元的票子别在那辆车的雨刮器上。

随后她开着车扬长而去。路克还从没见过这样的人呢：她应该留下姓名和电话号码呀！一般来说，车子刮擦的事都该由保险公司来处理，可她似乎想就这么私下了结。

乌云被一道闪电划开了口子，几秒钟之后传来隆隆的响雷。路克可不想被淋成落汤鸡，于是抓紧时间朝家里赶去。

他刚刚踏进自家的白色别墅，雨点就从天空中坠落下来。妈妈已经在客厅里喊他了。路克刚推开客厅门就不大不小地吃了一惊：眼前俨然站着一位城堡领主和他的夫人。身着长袍、外披一件袖口开叉的大氅的正是他父亲，而母亲的装束也起码倒回了好几个世纪。

"你的装束在你房间里。"凯平斯基夫人笑着解释道，"这次派对的主题是：欢聚在城堡——回到中世纪！"

还有比这更糟糕的吗？

可不是嘛！路克的床上放着淡黄色的丝绸连袜裤和裤腿带豁口的红色灯笼裤，衬里是青绿色的。还有一件男式的紧身上衣，足可以把他勒得喘不过气来。最好笑的是那顶盘子一样的绒帽，头一转动上面插着的长羽毛就一颤一颤的。

此时外面已是大雨如注。路克祈祷着，但愿聚会上不会碰到他们学校里的人。他这身打扮看上去简直像个小丑。不过叫他稍感安慰的是，他们是坐着父亲的加长大轿车去派对，而不是坐着与服装完全配套的马车去聚会。

“装束方面每出一个差错，就得罚一百欧元。”凯平斯基夫人在路上告诉路克，“一切都要和中世纪一模一样。”

“那我们可得大掏腰包了。”路克说。

冒险小虎队· 秘密记录

凯平斯基一家的装束都有哪些不对的地方?哪些东西是中世纪还没有的?

水晶球之光

帕特里克和碧吉被雷阵雨淋得措手不及，只好躲进了一条购物通道。外面雷电交加，豆大的雨点自天空喷洒而下，他们两个只好在一家家商店里转悠，各自享用了一杯可乐和一块比萨饼。等雨势稍微小一点的时候，碧吉提议："我们再回旧货店去看看吧？"

毫无疑问，这场大雨把足球场变成了一片泥浆地，看来帕特里克原定的训练计划只好泡汤了。于是帕特里克答应了碧吉的建议。

两只小虎把自行车停在离旧货店还有两条街的地方，然后沿着马路的另一侧徒步向旧货店靠近。

城市的上空响起了七下低沉的钟

声。两只小虎发现旧货店里一片漆黑，里面应该没有人。这也没什么奇怪的，这个时候很多商店都关门了。

尽管如此，他们并没有马上离开，而是躲在一个带滚轮的木箱后面等待着。至于等什么，他们自己也说不清楚。

突然，脏兮兮的橱窗后面亮起了一点灯光，但很快就熄灭了。一阵开动门锁的声音传来，在他们两个藏身的地方听得一清二楚。于是，两个人慢慢探出脑袋，目光越过箱子窥视着门边的动静。

一个年轻小伙子从打开的门缝里溜了出来。碧吉估计他大约比自己大四岁。他身着一条满是破洞的牛仔裤，穿一件缺一只袖子的夹克衫，头发一绺一绺地垂在脑门上。

“什么时候，什么时候开始呢？”他朝黑影问道。

“三天之内巫师会联络你的！”即使

看不见面貌，但从这尖细的声音中小虎们也能听出说话者是店主。

小伙子上了一辆重型摩托车。照帕特里克的判断，这车是马力很强劲、价格很昂贵的那种。果然，车子发动的时候，排气管发出的声音响得像巨龙长啸。

黑漆漆的大楼车辆入口处，出现了他们下午碰到的那个姑娘的身影。只见她用力甩了甩头发，然后钻进了旧货店。店门随即关上了，但没有听到上锁的声音。

碧吉和帕特里克等了一小会儿，见没什么动静，就猫着腰过了马路。他们发现售货间里一个人也没有，也就是说，店主和那姑娘进了里屋。碧吉试探着按下门把手，门开了。不过碧吉牢牢地抓住门，否则门会把风铃给弄响的。

通往里屋的那扇厚门半开着，一道昏黄的灯光照在磨损得不成样子的木地板上。

碧吉听到那位姑娘急促地说:“是我的朋友伊莎贝尔建议我到您这儿来的。她说,您能帮我跟巫师联络。”

碧吉和帕特里克蹑手蹑脚地接近那扇厚门。

“你下午不应该来,我不是明确告诉你了吗!”店主责备道。

“我等不及了。伊莎贝尔能做到的,我也要做到!”

“巫师是不轻易相信任何人的。所以你要在我这儿做个测试。把手放到水晶球上,要是你说谎,它就会发光。”

姑娘迟疑着照办了。

店主的前额和两颊堆起了深深的皱纹。他眯缝着眼睛,嘴里咕哝道:“魔球魔球告诉我,这女人配不配走进巫师的神秘世界?”

透明的水晶球亮起了黄绿色的光。

它闪烁不定，忽明忽暗，最后熄灭了。

碧吉屏住呼吸，紧咬着双唇。

而帕特里克可不像她那么着迷。

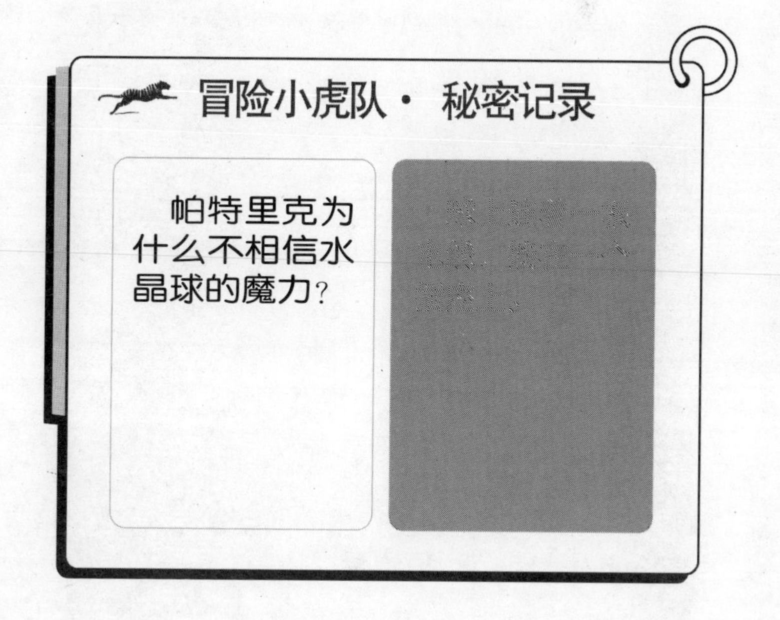

回到中世纪

举办中世纪风格派对的人，名叫奥托卡·冯·卢姆巴赫，他站在豪宅的门口亲自欢迎每一位客人。今天身体肥胖的卢姆巴赫是一身宫廷丑角的打扮，浑身上下五颜六色的，活像一只拴着小铃铛的超大毛绒玩具。

"衷心地欢迎你们！"奥托卡·冯·卢姆巴赫热情洋溢地招呼走上弧形台阶的每位客人。他用力握着客人们的手，简直像要拽断对方的胳膊；说起话来声音宏亮，叫人想起重重的鼓点。

别墅的每个房间里都是灯火辉煌。许多石头阳台上垂挂着长长的旗子，上面印着大大的家族徽章：一条青龙和一只绿毛狮子。

“今晚我们这儿可是一切都回到中世纪了！”卢姆巴赫先生热情地向凯平斯基一家介绍。他指了指那些托着蜡烛的浅碟，花园里侍从们手持的松木火把，继续说道：“只是火把只能留在花园里了。今天晚上，我还是乐意用现代化的照明。可除此以外，一切都跟五百年前毫无差别。但愿这一切能让你们满意。”

大厅和隔壁的几个客厅里，气氛已经很热闹了：女士们拖着长长的裙摆走来走去；几位男士被身上厚厚的长袍热出了一身汗；一个年轻人正在台上弹奏鼓着大肚子的琉特琴。

足有两间教室那么大的餐厅里，一张长桌上摆满了木制盘子供人们取食。食物冒着香气，美酒泛着红光，餐刀擦得锃亮。看得出来，为了保证一切和中世纪的骑士宴会一模一样，卢姆巴赫先生费了很多心思。路克到处寻找一样东西，却

始终不见踪影。

过了一会儿，路克想上卫生间，却怎么也找不到。不知不觉中来到了别墅的厢房，这里通常都是仆人们待的地方。厨师和服务生们在这里来回穿梭，大家忙得团团转。

几个乐师从一扇偏门走了进来。

“对不起，我们来晚了！”一个拖着低音提琴的男子道歉，“车子半路出故障了！”

一位手拿书写板的女士向他们命令道：“到大厅里面去，要快！”

又有三个乐师拿着自己的乐器走了进来。

“请换上衣服，要快！”

乐师们点点头。

这时，那位女士发现了路克，快步朝他走过来：“你是转迷路了吧？”她板着脸问。

“我想找卫生间。也许这里像中世纪

一样，干脆没有卫生间？”路克开了一句玩笑。可惜路克的玩笑话没有换来女士的一丝笑容。

她把路克带回来宾们的活动区域，指了指卫生间的门。路克走过去握住门把手，刚要进去，脑子里突然闪过一个念头：一些不速之客闯进别墅里来了。

于是他转身去找刚才那位女士，可是人群中已经没有她的身影了。

路克没有放弃。他在人群中找到了卢姆巴赫，并把自己的怀疑告诉了他。

听了路克的话，这位主人高声大笑起来，他觉得这是不可能的。经不住路克的一再请求，他让一位保安人员去调查一下，结果令人大吃一惊。

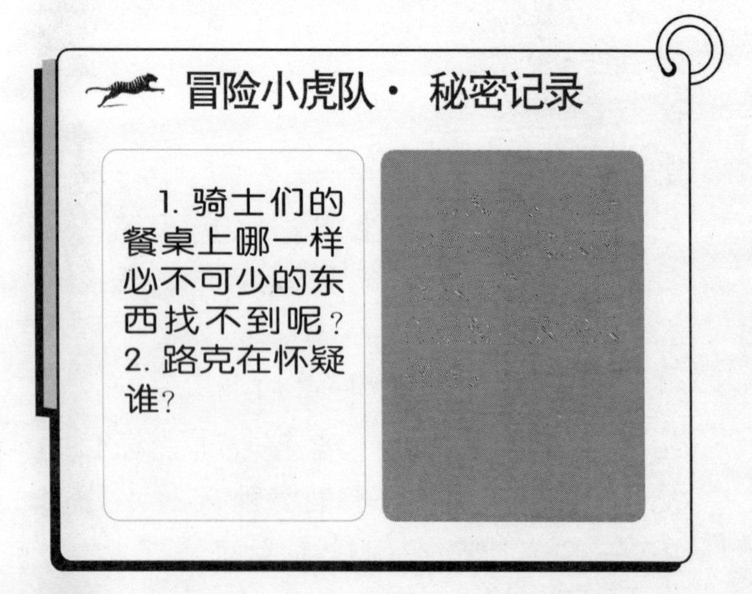

黑猫的眼睛

碧吉和帕特里克不能再在旧货店里待下去了,他们担心会被发现。

那个店主仍然在盘问姑娘。从姑娘的父母、她家的房子、她的房间,到她的朋友和学校,他喋喋不休地追问着。水晶球始终没有亮起来。

碧吉后退几步,扯了扯帕特里克的夹克衫。该是撤退的时候了。但帕特里克还在犹豫,他的直觉告诉他,他们马上就要说到什么重要的事情了。

"那我自己先走了!"碧吉低声告诉他。

里屋传出姑娘焦急的声音:"我能见到他吗?那位巫师会教我魔法吗?"

碧吉已经到了大门口,而帕特里克

仍然蹲在里屋的门旁边。

“他会联络您的。”店主压低嗓门用沙哑的声音说，“车轮巷12号，去找黑猫的眼睛吧！”

帕特里克转身的时候，肩膀不小心碰到了一个货架。一个积满灰尘的玻璃瓶滑落下来。帕特里克没来得及接住它，瓶子“砰”一声掉在地上摔碎了。

帕特里克飞快地蹿到店门外，跟碧吉一起钻进夜色里。他们身后传来了店主的怒骂声，但这时碧吉和帕特里克已经躲到停在马路对面的汽车后面了。店主走出店门沿街望去，但哪里还有人影！

两只小虎的心都提到了嗓子眼儿。那人是不是看见他们了？但愿没有！

这天晚上，路克的手机一直都打不通。第二天是星期六，不用上学，所以小虎们约定上午十点在秘密据点碰头。

小虎队的秘密据点设在一家叫“金

虎餐馆”的中国饭店的地下室里。三个小侦探搬来了别人扔掉的破旧家具，把他们的破案大本营布置得有模有样。路克有一个小型实验台，还有一台联网的电脑。碧吉负责管理各种手册、剪报、地图和照片。爱运动的帕特里克弄来了哑铃、脚踏健身器和划船机。

到了秘密据点之后，三个人都想第一个报告自己的发现。最后又是碧吉占了先，路克只好等会儿了。不过碧吉和帕特里克讲的事情，确实是紧张刺激又扑朔迷离！

“我们调查新案子的时候，你正在骑士宴会上吃喝玩乐呢！”碧吉对路克有点不满。

路克微微一笑，不紧不慢地说：“宝贝儿，”——碧吉最讨厌人家叫她“宝贝儿”了——“告诉你吧宝贝儿，在骑士聚会上我揭穿了一伙乔装打扮的窃贼，及时阻止了一起抢劫案件的发生！”

起初碧吉以为他在开玩笑，可随着路克的娓娓道来，碧吉越来越吃惊了。

当时，闻讯赶来的警察刚请那几个乐师出示证件，结果就有两个人支撑不住想逃跑了。最后他们和其余同伙被一举擒获。警察从他们放乐器的箱子里搜出了作案工具和用来炸保险箱的炸药。这伙坏蛋在真正的乐师们乘坐的车子上做了手脚，让车子在半路上出了故障；然后冒充乐师闯进奥托卡·冯·卢姆巴赫的别墅，企图偷取保险箱里的东西。

“他们大概以为，趁着宴会人多好浑水摸鱼呢！”路克总结道。

帕特里克边举着哑铃，边气喘吁吁地问：“这个卢姆巴赫家有很多值钱的东西吗？”

路克意味深长地点了点头：“我猜，他家里只有马桶不是金的。不过，他安装了全世界最先进的报警装置，他觉得安全极了。”

“干得不错，机灵鬼！”碧吉夸奖路克，嘴里啃着一块刚打开的榛子巧克力。“但巫师这件事情该怎么办呢？”

“你手头有地图吗？我查查车轮巷12号。”路克问。

游泳馆
FINK商场

市立图书馆
音乐学校
咖啡店
冷饮店
20
车轮巷

碧吉很快就从塞得满满的架子上抽出了地图。路克把地图展开、抚平，不一会儿就找到了车轮巷。

“快到郊区了。”他咕哝道。

“12号是个什么地方？”碧吉很好奇。

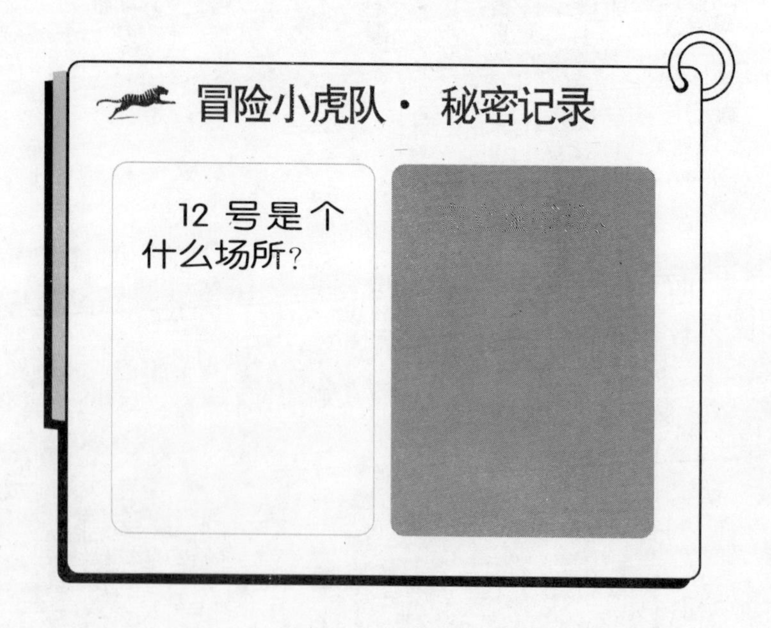

缠住她

半个小时后，三只小虎骑车到了车轮巷。

帕特里克转身问路克："你知道旧货店那个古怪的家伙说的"黑猫的眼睛"指的是什么吗?"

路克若有所思地点点头，从镜片后面打量着这条弯弯的小巷。他心里有点数，但现在还不想说。

"你倒是说话呀!从牙缝里往外蹦个字母也好!"碧吉一向受不了路克神秘兮兮的样子，恼火地吼道。

一辆车从他们身后飞驰而过，刹车时车轮在地上摩擦出刺耳的"吱吱"声。看到车头保险杠上的刮擦痕迹，路克马上就认出来了，尽管车的敞篷没有打开，他却知道开门下车的人会是谁。

“这就是那个姑娘。”路克马上跟他的队友们报告，“你们得缠住她，不能让她进去！”说着他指了指图书馆的入口。

“你呢？你……”碧吉问。

“我去找黑猫的眼睛。”不等碧吉把问题问完，路克就把百宝箱紧紧抱在胸前，匆匆朝图书馆赶去。

姑娘停车的时候可着实费了点劲儿。等到她终于把车子挤进停车场唯一的空闲车位，时间已经过去了好一会儿。她刚一下车，碧吉和帕特里克就站到了她面前。姑娘不屑地看了他们一眼，意思是：我可不跟你们这样的小毛孩搭腔。随后她便准备从两个人身边走过。

碧吉连忙跟紧姑娘，用带着鼻音的典型学生腔说：“我们学校要我们做一项问卷调查。”帕特里克费了好大劲才憋住笑。“您觉得‘车轮巷’这个名字怎么样？

您是否也认为巷子应该改名叫‘方块巷’?”

碧吉一边煞有介事地问,一边转身叮嘱帕特里克:“好好记下来!”

帕特里克抱歉地举起手:“我没带笔。”

碧吉气得直翻眼珠:“你们这些男生,真是什么也指望不上!小姐,您不这么觉得吗?”

姑娘两眼盯着碧吉沉默不语。

在这段时间里,路克正站在图书馆长长的书架前面,目光飞快地掠过了一排排书的书脊。

最后他走到服务台前,服务台后面的一位女士友好地朝他笑了笑。

“有什么需要我帮忙的吗?”见路克没有马上回答,她又接着问,“你是这儿的注册读者吗?我还从没见过你。”

“呃……我有个问题!”路克说。

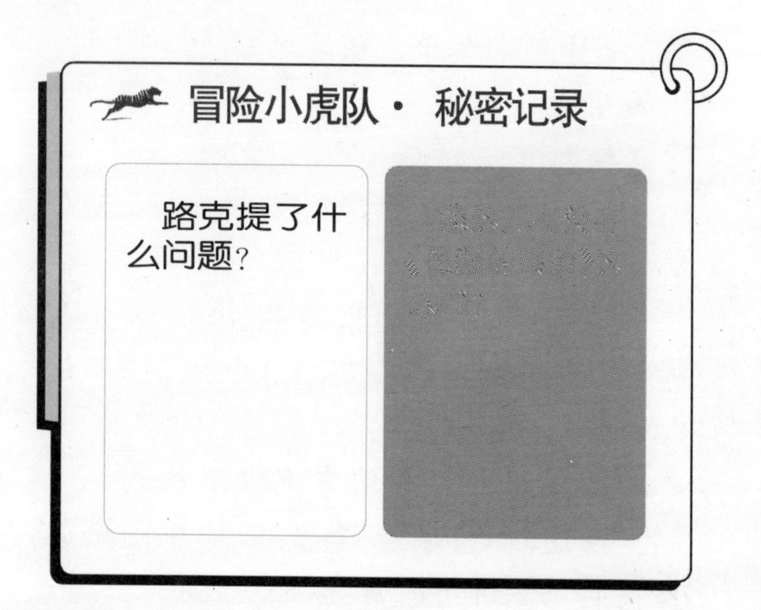
冒险小虎队· 秘密记录
路克提了什么问题？

默契的配合

“让我过去!”姑娘用力把头发往后一甩,从碧吉和帕特里克中间挤了过去。但碧吉马上又笑嘻嘻地拦住了她的去路。

“‘方块巷’还是‘箭头巷’?您觉得哪个名字更好?”

“你有病啊?”姑娘火了。可碧吉就像没听见一样继续问道。

“那您认为‘圆球巷’和‘金字塔巷’呢?是不是这两个名字听上去都不赖呀!”

姑娘原来舒展的眉宇这时候气得扭成一团。

图书馆里,那位和蔼的女士听了路克的询问,态度来了个一百八十度大转弯。

“你问这本书干什么?”这位女士——胸前的工作牌上写着她的名字:玛蒂娜·

克里姗——上下打量着路克，一脸的怀疑。

“我想看。”路克小心地回答。

“这本破烂书有什么好看？里面全是些乒乒乓乓的打斗、死人和疯子。我真搞不明白，怎么有那么多人为这个愚蠢透顶的故事着迷！”

“那么多人？哪些人呀？”路克追问。

“嗯，就是一个总戴着宽边软呢帽的老先生——就算在室内那顶帽子他也不肯摘下来——他老是去翻这本书。隔三

差五地还不断地有年轻人过来打听这本书，我都不知道这本稀奇古怪的书是怎么进了我们图书馆的。”

“那这本书借出去了吗？”路克的内心有些紧张。

“书还在呢！”

哦，路克松了一口气。但问题是这本书放在什么位置呢？挨个儿找可不行，图书馆那么大，得花好几天时间。

这时，那姑娘从玻璃移门匆匆地走了进来，她身后跟着碧吉和帕特里克。两只小虎冲路克打了个手势表示抱歉：他们没能拖住她更久一点。

“我找《黑猫的眼睛》这本书！”姑娘招呼也不打，直接要求道。女图书管理员吃惊地绞着双手：怎么又有人来找这本书了。

“您快点告诉我它放在哪儿！我要看！”姑娘出示了自己的图书证。

“左数第三排，和侦探小说放在一起。”管理员虽然对姑娘的无礼很生气，但还是满足了她的要求。

“噢，《黑猫的眼睛》这本书放在左数第三排，和侦探小说放在一起。”路克大声而清晰地重复着，并把手放在背后示

意帕特里克赶紧去找。有路克在这边吸引管理员的注意力，帕特里克或许能在姑娘之前把书搞到手。

从眼角的余光里，路克看到一个身影飞快地从身边闪过。帕特里克已经行动了。姑娘数着书架走过去，在帕特里克之后拐进了第三排。碧吉也朝帕特里克那里跟了过去。

“这两个也不是注册读者。”克里姗女士一边严肃地说，一边像挥动着魔棒似的，用手里的圆珠笔朝碧吉和帕特里克那边指指点点。

为了遮挡她的视线，路克把百宝箱放到了服务台上。他自己躲在百宝箱后面四处张望着，脸上挂着天使般的微笑。

“那个戴宽边软呢帽的老先生是您这儿的注册读者吗?”路克故意没话找话，想分散管理员的注意力。

管理员用圆珠笔有节奏地敲打着额头：“嗯……我想是的。但我想不起他的名字了，是眼下想不起来了。等下它会像闪电一样出现在我的脑子里。”

“再见!”碧吉一边喊，一边挑了最近的路旋风般地离开图书馆。帕特里克紧跟在她身后。

“等会儿，这样可不行！”克里姗女士“腾”地一下站起来，正要去追赶帕特里克，只见那姑娘气急败坏地冲了过来，愤怒地盯着路克。

“那两个小毛孩跟你是一伙的！”她冲着路克叫道。

然而路克就像没听到她的话。他抬起手腕看了看手表，神情非常平静。

“抱歉，我得赶紧走了。”路克彬彬有礼地向管理员鞠躬道别，然后就离开了图书馆。到了外面，他向左来了个急转弯，躲在房角后面。

姑娘也一阵风似的冲出来，四下张望着寻找路克。看不到路克的身影，她只好跑向自己的座驾，开车离开了。

路克的手机收到了碧吉的短信。他们约好在秘密据点碰头。为了保险起见，三个人要走不同的路线。

一路上，路克保持高度警惕，以免被姑娘发现。等他踏进中国餐馆地下室那扇狭窄的门时，帕特里克已经在里面了。帕特里克若有所思地观察着一张发黄的纸条，这是从《黑猫的眼睛》里抽出来的。

这不是一张普通的纸，而是一张动物皮。“是真正的羊皮卷，”路克断定，“从前没有纸的时候，人们把字写在这上面。”

这张边沿呈波浪形的羊皮纸上画满了五角星，每颗星星上都写着一个字母和数字。

碧吉最后一个到达秘密据点。她挤到两个男孩中间，嘴里一边嚼着榛子巧克力，一边和男孩们一道琢磨着：星星到底代表什么意思呢？

“秘密口信？”帕特里克猜测。

路克也这么认为：“必须把字母按某种顺序排起来。”

“我知道怎么排到！”碧吉兴奋地叫道。

冒险小虎队· 秘密记录
应该如何解读这个秘密口信呢？

收藏“鬼怪”的人

路克把字母逐个写到一张纸条上，可组成的这串长长的字母没有任何意义。碧吉用竖线把它们分割成几个词，这下小虎们都看明白了。

帕特里克小声念出来：“流出金色眼泪的时候来找我。”他疑惑地看着另外两只小虎：“‘我’指的是谁呀？”

在路克看来，这再简单不过了：“巫师呗！”

“那姑娘一定知道在哪儿能找到他。”碧吉边嚼榛子巧克力边推测着，“要不然的话，这儿总该写个地址什么的。”

“金色眼泪，”帕特里克寻思着，“谁会流金色眼泪呢？”

“是流泪的骷髅呗！”路克喊道，“我

敢打赌，一定是流泪的骷髅！”

碧吉在屋里来回走着“8”字步，她只用脚跟着地，眼睛盯着脚尖。她听说这样可以激活大脑细胞。“你们说这一切都有什么含意呢？”

路克长长地叹了一口气，一屁股坐到了电脑前的椅子上。

“这个巫师好像很受欢迎，他给每个想找他的人都设置一些关卡；旧货店里的那个老板是个把门的；流泪的骷髅用来发出信号，通知碰头的时间。我能想到的就是这些。”

“那个姑娘找巫师干什么呢？”碧吉还在走着“8”字步，就算这样她也还是没有理出个头绪来。

帕特里克正在脚踏健身器上锻炼。“我们得立即监视流泪的骷髅，我想那姑娘一定也会这么做。等金色眼泪流出来的时候，她就会去找巫师。”他分析得有条有理。

“然后我们跟踪她！”碧吉接着说。

小虎们决定每三个小时换一次岗。他们祈祷骷髅星期天就开始流泪，而不是星期一早上他们坐在教室里上课的时候。

星期天的天空灰蒙蒙的，天气很凉爽。铅灰色的云朵低低地挂在天空，仿佛站在高楼的烟囱上就触手可及。轮到路克值班的三个小时里，小巷里一点动静也没有。来替换他的是碧吉。碧吉盯了三个小时后，就急匆匆地赶回家里，因为她的祖母要过来吃午饭。

下午，路克坐在电脑前搜索关于流泪的骷髅的信息。结果让他大感意外，一直以来，他都以为发现流泪的骷髅的那所“鬼宅”应坐落在英格兰或是苏格兰。而事实上，它居然就在离小虎们生活的城市不远的地方，宅子以前的主人是一个叫吉尔伯特·冯·苏林的人。

路克对着电脑读出声来:"他当年是出了名的收藏家,专门搜集神秘、有魔力的东西以及能够证明鬼怪存在的一切证据。他在全世界范围内搜寻此类物品。"

路克一边思索着,一边擦着眼镜。重新戴上眼镜以后,他接着读下去:"最后一个见到吉尔伯特·冯·苏林的人是一位去采访他的记者。据那位名叫罗伯特·施的记者讲,冯·苏林先生当时去厨房给他端茶,结果就再也没有出来。那时候墙上的钟敲了六下;有那么几分钟的时间,墙上的温度计显示室内的气温骤降到六度,冷得他直哆嗦;同时,屋里还响起了一只枭的叫声。"

"吉尔伯特·冯·苏林在遗嘱中写道:他的房子要锁起来,不许出售,也不许别人踏进半步。要任由房子渐渐破落,好为他生前在各地旅行时带回的那些超自然的精灵们提供一个无人打扰的栖息之地。

“吉尔伯特·冯·苏林已经失踪十年了。冯·苏林先生最后一次露面是十年前的4月13日，星期五；两个月后，也就是6月13日，星期五，他的花园门前竖了一块黑色石碑。石碑插在湿漉漉的泥土里，上面粗糙地刻着这样的碑文：来骚扰神灵的人，会听到我来自鬼神世界的声音！吉尔伯特·冯·苏林。”

路克反复看着罗伯特·施写的这篇报道，总觉得有什么地方不对头。但到底是哪里有问题呢？

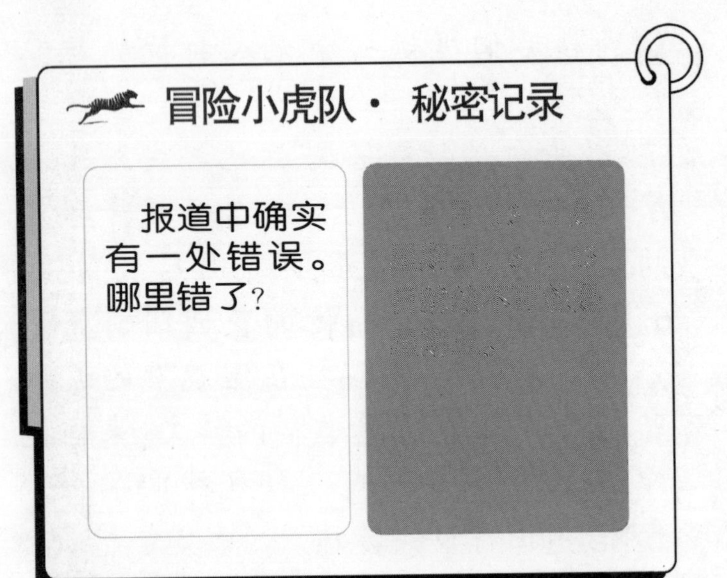

冒险小虎队·秘密记录

报道中确实有一处错误。哪里错了？

金色眼泪

路克的电脑里储存了好多有用的信息和材料。所以他只须敲两三下键盘，一幅市区地图就出现在屏幕上。他的食指沿着城市边缘的街道搜索着，找到了“鬼宅”所在的位置：它在蜿蜒曲折的盘山公路的尽头。

路克真想马上去看看这所宅子。他拿起手机，拨了碧吉的号码。碧吉接了电话，但说话时急匆匆的，还压低了嗓门。

“现在不行。奶奶在呢，待会儿再说。”路克连一句话都没讲完，碧吉就挂断了电话。

路克只好打电话给帕特里克。

帕特里克此时正蹲在停在旧货店斜对面的一排汽车后面。他不时地打着哈欠，觉得无聊极了。为了不让自己打盹，帕特里克带了一个电脑游戏机，玩玩游戏打发时间。

街道上静悄悄的，只有一只拖着蓬松尾巴的白猫时不时地来帕特里克这儿打转。它一边咕噜咕噜地叫着，一边在他脚边蹭来蹭去。

帕特里克不停地抬头观察橱窗里的“流泪的骷髅”，可是骷髅没有流金色眼泪。

一辆深颜色的汽车慢慢地从他身边驶过，车窗玻璃上贴了太阳膜，无法看清里面坐的是谁。所以帕特里克也没特别留意。

这回帕特里克可是漏掉了重要线索，这是他后来才知道的。

为了不引起别人的注意，帕特里克把自己的手机铃声关掉了。路克的电话进来的时候，他感到了裤兜里手机的震

L MA 6903
50

动，于是便掏出来接了电话。

“有什么情况？”路克关切地问道。

帕特里克先使劲打了个哈欠，然后才慢腾腾地说：“我都快睡着了！”

“嘿，听着！我有新发现，保证你听了以后马上就不困了！”路克把“鬼宅”和“鬼宅”主人谜一样的故事一五一十地说给帕特里克听。

“你不会是想要去那儿看看吧？”帕特里克用警告的语气问道。

“当然了！你也一块儿去吧。”

帕特里克拿不定主意。他最害怕鬼呀、幽灵呀、狼妖呀、还魂的死尸呀这些超自然的现象。

“那我自己去。”路克说。因为不想让队友说自己是胆小鬼，帕特里克最终还是决定跟路克一起去。

旧货店里有动静！帕特里克确信自己刚才看到了一丝亮光。他一边听着手机，一边穿过马路，到橱窗边上查看“流泪的骷髅”。

骷髅眼窝里缓缓地流出了一种液体，闪着金黄色的光。这应该就是秘密口信里提到的金色眼泪了！

一辆车从帕特里克身后开过来，随后停在旧货店门口。正是刚才那辆深颜色的汽车。那位留着长长的直发的姑娘从车上走下来，踩着高跟鞋径直走向帕特里克。他已经来不及跑开了。

“你这只小耗子！”姑娘咬牙切齿地说，“我知道你是谁，你叫帕特里克·施泰因布伦纳！”

帕特里克尴尬地举起了双手，好像姑娘正拿着手枪抵着他的胸膛一样。

“这回你可得认栽了，还有你的朋友们！你们到处瞎转悠，唯恐天下不乱。你们还偷了一样东西！”

“我们没有！”帕特里克红着脸反驳。

“还想狡辩！”姑娘打开自己名贵的手提包，从里面抽出了那本《黑猫的眼睛》。

帕特里克和他的伙伴们这下碰上麻烦了——这是明摆着的。

“把书里夹着的纸条给我，我就替你们保密。”

路克在电话那头把这一切听得一清二楚。

“答应她，给她纸条！”路克建议帕特里克。

小虎们已经用不着纸条了，他们已经破解了纸条上的秘密口信，这就够了。

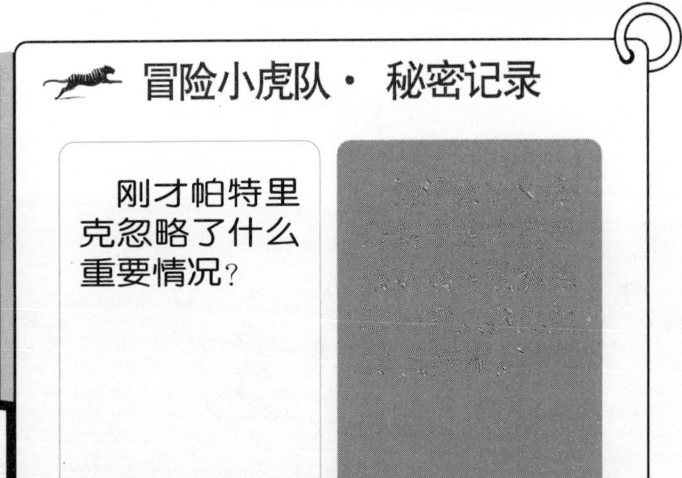

请把定位搜索卡平放在第 63 页插图上进行搜索。

电子追踪

路克在电话里保证马上拿着纸条过来,要帕特里克和姑娘在门口等着。

帕特里克和姑娘一言不发地站在那儿。姑娘注意到了骷髅眼窝里的金色泪滴,然而她没有任何反应,看上去丝毫不感兴趣。

帕特里克差一点就把金色眼泪的秘密告诉了姑娘。不过他还是及时控制住自己,心想,不能让她知道他们已经破解了秘密口信。

可是帕特里克无法忍受这种沉默,于是开口问道:“您有两辆同一个车牌号的车吗?”

姑娘大笑起来:“那辆破车不是擦坏了吗!我又弄了辆新的。”

帕特里克惊讶不已，原先那辆车子维修一下肯定花不了几个钱。车子说换就换，可见那姑娘的家境非同一般。这辆新车可能还没有注册，因为昨天是星期六。不过姑娘似乎根本不在乎这个。

路克骑着自行车，气喘吁吁地赶了过来。他递给姑娘一个厚厚的信封，羊皮纸秘密口信就包在里面。

姑娘用恶狠狠的目光盯着两个男孩的眼睛，威胁道："别再让我看到你们，要是不想被打断骨头的话就好好记住我的话！"

姑娘打开信封看了一下羊皮纸秘密口信，思索了片刻便开着车扬长而去。

"白等了这么久！"帕特里克抱怨着，一脚把一块小石子踢出去老远。

"为什么？"路克不明白帕特里克为何这么生气。

"骷髅的眼睛里已经在流金色的眼

泪了，她现在已经去找巫师了，而我们又不知道巫师在哪儿！”

“马上就能知道了，我敢打赌。”

“怎么会呢？”

“我们还是先离开这儿！”路克说着，把自行车推到了帕特里克停自行车的路灯柱旁边。

“我刚才给她的信封里放着一个迷你跟踪器，它可以告诉我们她的去向。”

路克取出迷你电脑，手拿一支笔在显示屏上点了几下。不一会儿，屏幕上就出现了一个亮点，亮点缓慢地移动着。

“这就是她了！现在我再把市区地图调出来。”路克接着点下去，可地图怎么也调不出来。电脑的屏幕背景频繁地变着颜色，亮点也一闪一闪的。路克的脑门上都急出了汗，手忙脚乱了一阵，电脑总算没死机。

最后电脑屏幕上还是只有深蓝色

的桌面和那个不断变换着移动轨迹的亮点。

“她现在到底在哪儿?”看得出帕特里克的内心很焦急。

路克自己也想知道呢!可是没有地图怎么能判断出她的方位呢?不过,试了

几次之后，路克还是设法让这个亮点在屏幕上留下了轨迹，或许这个会有用。

时间一分一秒地过去了。渐渐地，路克果真找到了目标。他拨通了碧吉的电话，这回她可以大声说话了。三只小虎约好了碰头地点，路克说出的地址让帕特里克吃惊不已。

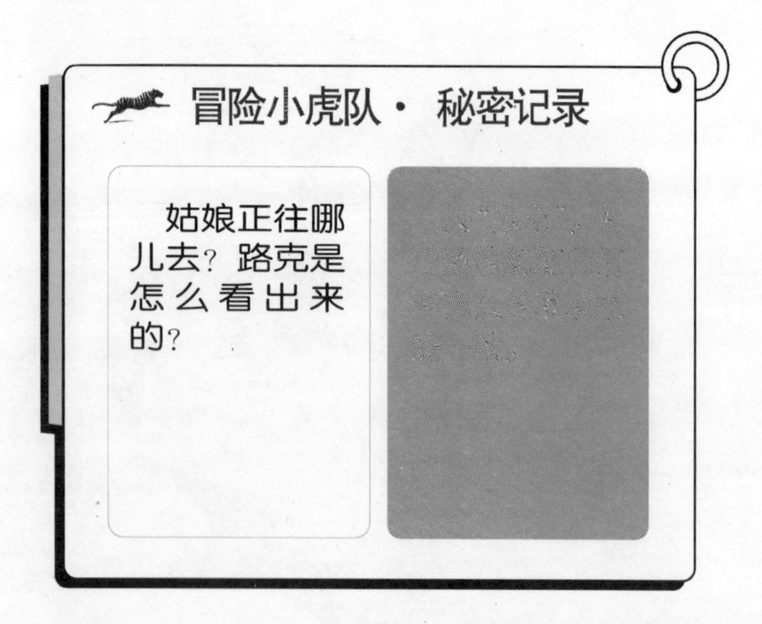

阴森荒凉的“鬼宅”

冷风从山丘顶上呼啸着吹下来，仿佛要阻止小虎们继续他们的行动。三个人并排走上了一段又长又陡的台阶，台阶两旁全是带刺的茎蔓和灌木，还有弯弯曲曲的树枝。

还看不到“鬼宅”。盘山路尽头的这段台阶通往一处山丘，山丘隐藏在灌木丛后面。

小虎们将自行车停在隐蔽的地方。而那姑娘的车就停在台阶底下，看来小虎们的估计没错。

台阶的尽头是一道栅栏。栅栏由很粗的黑色铁条围成，顶端削得尖尖的。

栅栏里边的灌木的枝叶穿过铁条向外伸展着，看上去像一条条干枯的手臂在

无声地呐喊呼救。这景象让帕特里克起

了一身的鸡皮疙瘩。

小虎们面前的栅栏门被好多条粗铁链锁着;而且正如那个记者描述的,门前的泥地上倾斜地竖着一块薄薄的黑色大理石碑,上面的文字提醒着每个路过的人,如果踏进宅子会带来怎样可怕的后果。

碧吉估算着铁条之间的距离:"太窄了,那女的不可能从这儿钻进去。"

"那就是说还有一个入口。"路克推断。

周围荆棘密布,小虎们要沿着栅栏搜索可真不是件容易的事儿。终于,他们找到了一处枝叶稍微稀疏的地方,从那儿能瞥见里面那所阴森森的老宅。

在碧吉看来,眼前简直就是一幅在烈日下挂了太久的、褪了色的画。老宅毫无生气地竖在那儿,荒凉又破败。有好扇百叶窗斜挂在那里,房顶也有好几处破了洞。石头雕成的龙和其他一些面目狰狞的怪物在房檐下排成一排，像是要吓退来访者。

“真有意思。”碧吉突然嘀咕了一句，两个男孩向她投去了询问的目光。

“你在说什么？”

“好像有人住在里面。”碧吉回答，“这老宅无论如何不可能闲置了十年。”

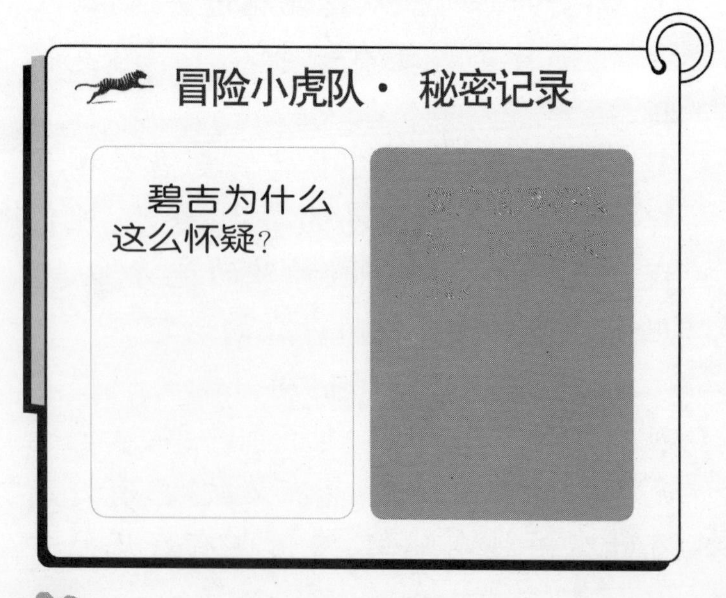

巫师的王国

帕特里克打量着一棵大树粗壮的树干。它结实的枝条越过栅栏，一直伸到园子里面。

“我先爬到树上去，然后跳进园子里。”帕特里克自告奋勇。

小虎们此时已经围着园子转了两圈，也没找到一个隐蔽的入口。所以听到帕特里克这么说，其他两个人马上兴奋了起来。在小虎眼里，爬树是帕特里克的强项，但其他两个人都不怎么会爬树。当帕特里克意识到这一点的时候，他已经像只敏捷的猴子一样攀住树枝往前荡了。这回他得独自一人闯“鬼宅”。帕特里克已经没有回头路了，他尽量不让自己去想象“鬼宅”里会有什么可怕的事情在等待着他。

帕特里克向下跳的时候,他的运动鞋踩到了一层腐烂的树叶上。帕特里克弓着身子跑到房子的背面,目光自下而上仔细地打量着房子。

什么人藏在里面?巫师又是谁?他在这儿做什么?

帕特里克在一只带窟窿的雨水桶旁发现了一扇狭窄的后门。他用两只手紧紧地抓住球形把手,小心地转动它。锁轻轻动了一下,可是门没有开。

天空堆满了厚厚的积雨云,显得阴沉沉的。帕特里克看了看表,吓了一跳,都快七点了。他最晚七点半就得到家,要不然他爸妈会发火的。可是刚才他根本没心思去注意时间问题。

今天的夜幕降临得似乎比平时都要早。帕特里克感觉到,亮光正在一秒一秒地消失,天空越来越暗了。

老宅的外墙上贴着木瓦片，有好些已经脱落了，留下一些空洞，像死人的眼睛一般盯着外面的世界。帕特里克缩着脖子，沿着墙根搜索着，想找一个法子溜到房子里面去。

站在房子外面，听不到里面的任何声响。

突然，前方传来一阵簌簌的声音。帕特里克的心一下子跳到了嗓子眼儿，喉咙也立刻干得像吸水纸。

“嘘——是我们！”原来是另外两只小虎，虚惊一场。碧吉对帕特里克耳语道：“我们已经找到入口了！”

路克一边亮起了手电筒，一边跟他解释：“刚才我发现有两根栏杆的顶端是可以向下折叠的。”

“你怎么早没看见？”帕特里克抱怨着。

一个鼻子状的廊檐下面就是宅子的

大门。三只小虎躲在老宅的墙角边，朝门口窥视。当一声刺耳的尖叫响起时，大门打开了。帕特里克吓得倒退了一步，一下子没站稳，结果把碧吉和路克都撞倒在地上。

三个人趴在潮湿的泥地上一动也不敢动。寒意一阵阵向他们袭来。他们已经暴露了吗？

一个宏亮的、有威慑力的声音从老宅里传来：

“走开，不相信法术的人！离开巫师的王国，等着他的报复吧！”

那姑娘可怜巴巴地哀求着：“求您原谅我吧，伟大的巫师！我会做个好学生的。让我留下吧，求求您了！”

碧吉手脚并用向前爬了几步，从房角窥探着这一切。

一道黄绿色的光穿过敞开的大门，投到门外的地面上。那姑娘垂着肩膀，站在方形光影里。

姑娘举起双手，苦苦哀求着。

老宅里传来了缓慢而坚定的脚步声，第二个人出现了。他投到地上的影子长长的，压在了姑娘的影子上。

“给你最后一次机会！”是巫师的声音。这声音听上去很沙哑，像簌簌作响的干树叶。

之后，他迅速转过身，径直走回屋内去了。刚才那长长的影子突然变成了一个巨大无比的圆球。

姑娘紧跟在后面，还不停地鞠着躬。大门眼看就要慢慢地合上了。

碧吉来不及细想，直接就飞奔过去，帕特里克也跟在后面。路克起身的时候，眼镜滑了下来，害得他趴在地上摸了好长一会儿，结果落在了后面。等路克赶到的时候，门恰好关上了。任他怎么转动把手，门都锁得紧紧的。碧吉和帕特里克

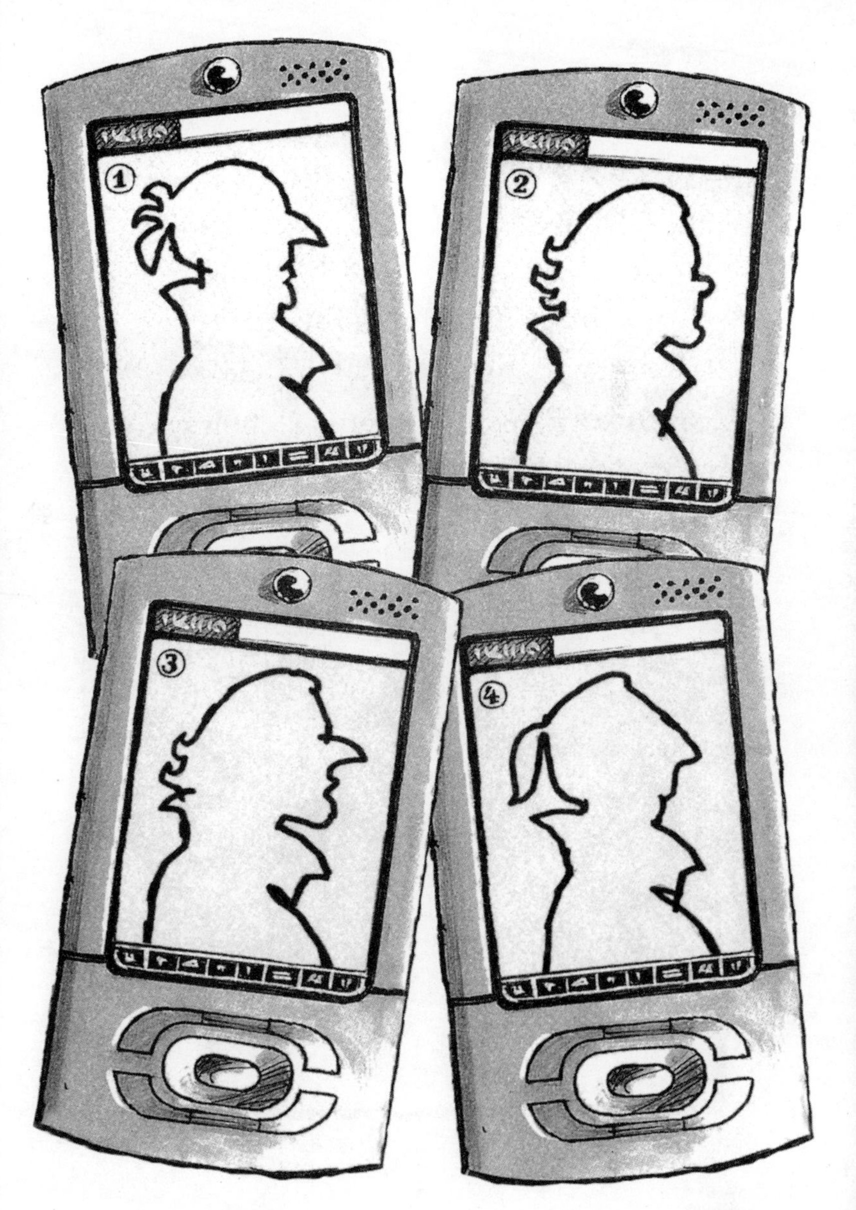
①
②
③
④

在里面捣鼓了半天，门依然纹丝不动。

他们现在该怎么办呢？

路克拿出他的迷你电脑，在屏幕上画来画去。刚才他只看到巫师的影子，但这也留下了足够的线索。路克试着画了几张模拟像。

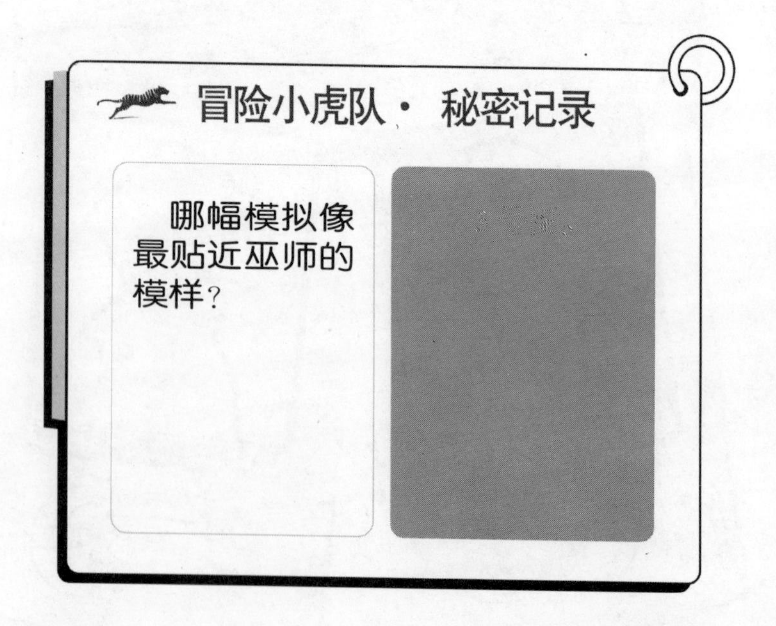

奇怪的命令

“鬼宅”里面弥漫着一股奇特的味道，这让碧吉想起了圣诞节的烤饼干和爸爸的剃须水。

若干个空心的陶制小人蹲坐着，眼睛、鼻孔、嘴和胸前的图案都是镂空的，射出了黄绿色的光。

“鬼宅”的前厅落满灰尘。巨大的蜘蛛网从房顶垂下来，像一袭灰色的帷幕。无数舞动的尘埃在光柱中闪烁着，浅碟里升起一缕一缕的青烟，或许正是它散发着这奇特的香气。

一扇对开的门敞开着，借着奶白色的灯光，能看到屋子里面烟雾缭绕。

碧吉和帕特里克恨不得能马上离开这座阴森森的宅子。可是眼下大门锁上了，他们除了等待别无选择。

“想被巫师的世界接纳，你必须勤奋地学习和练习！”巫师的声音又一次响起，“你准备好了吗？好好考虑一下再回答，因为你一旦答应了就要时刻遵守，不仅仅是在巫师的魔法课上！”

碧吉和帕特里克踮着脚尖来到敞开的门旁，躲在门框后面朝屋里窥视。

站在屋子另一端的小平台上的，看上去像一截柱子的残垣的正是巫师。他身后的墙上挂着彩色玻璃做成的鬼脸面具，面具在灯光的照射下散发着红色、黄色和绿色的光。

姑娘半跪坐在他前面的一个深色垫子上。

“我的女友已经拥有魔力了，”她表白道，“这是我亲眼所见。我也想拥有魔力，为此我愿意做任何事！”

“你也可以拥有魔力，重要的是，你

练习的时候必须排除所有的干扰信号，身边的一切电子器具必须通通关掉！”

巫师说话的语气带着一种摄人魂魄的威慑力；他的命令严格得没有任何的商量余地。

“我会关掉所有的东西。没有问题！”

“所有的，一定要是所有的！”巫师再

次强调。

姑娘乖乖地点头答应。

“包括灯、报警器、电脑、手机等等都要关掉。明白了吗？”

“我明白，我的女友伊莎贝尔也跟我说过。”

巫师抬起手臂，用力挥动了一下，像是要剪断一根看不见的缆绳。“不许让任何人知道你有魔力！伊莎贝尔没守规矩，她会遭到惩罚的。”他恶狠狠地说。

“不，请别惩罚她！”姑娘请求道。

帕特里克突然感觉到有什么东西在背后盯着他。他哆哆嗦嗦地转过头一看，一张细密的蜘蛛网跟自己长满蓬松鬈发的脑瓜近在咫尺，网中央正趴着一只又肥又大的褐色蜘蛛。

它正在看着自己吗？学校的生物老师好像说过，任何一种蜘蛛都有八只眼睛。

碧吉注意到帕特里克脸上的变化，也跟着转过头来。别看碧吉乘坐游乐园里的过山车时若无其事，可是蜘蛛却能吓得她尖叫起来。碧吉用双手紧紧地捂住嘴巴，这才没发出声来。

这时，只见帕特里克勇敢地伸出手去捉那只蜘蛛。碧吉吓得脸上没了血色。

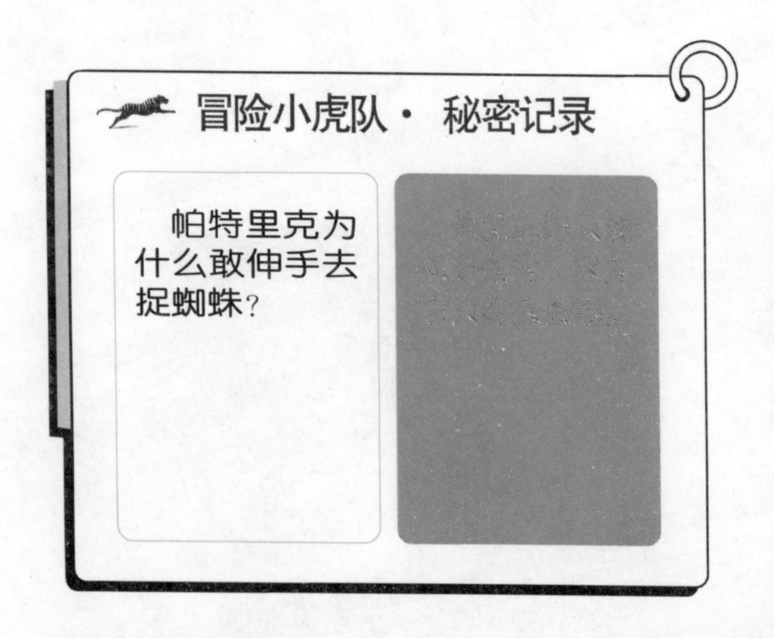

诡异的魔法课

“我的女徒儿，为了让你明白自己即将拥有怎样的魔力，现在我将我的几种法力引导到你的身上来。”巫师像布道一般举起双手，把掌心对准了姑娘。

巫师身后的光束刺眼夺目，把他整个人变成了一个活动的影子。因此两位小侦探始终都没能看清他的脸。

“你想学习什么法术呢?告诉我!”

姑娘不假思索地回答:“我要学会让身边的东西消失。这样就可以甩掉所有我讨厌的人了，包括我的父母。”

巫师点点头:“也就是说，你想利用魔法的阴暗面，当一个黑女巫。那你只能偷偷地学魔法!不过，不只是你一个人想当黑女巫。很多女巫和男巫也在做同样的努力。”

接下来，巫师挥动双手，像一个正在示意乐队起奏的指挥。“你想要什么东西消失呢？”他问。

姑娘紧张地环顾了一下四周，指了指一个半人多高、犄角扭曲、吐着舌头的鬼脸面具。

“如你所愿！”

巫师在空中比画着不同的魔法动作，过一小会儿就猛地指向屋里的某样东西。

碧吉可不是轻易能被唬住的人，可这回看到的景象，也让她吃了一惊。帕特里克拧了一下自己的胳膊，以为自己在做梦。

屋里昏暗的灯光下，一只巨大的花瓶慢慢地升向空中。它在房顶转了一圈，然后又落了下来。巫师施展魔法，让身后的灯光一亮一暗地闪动；还用食指指了

指一张带弧形金属腿的小桌子，桌子上立刻出现了盘子、杯子和一个鼓着肚子的茶壶。最后，他让自己也缓缓地升了起来，双脚完全离开了地面，整个人像气球一样飘在空中。

悬在空中的巫师这时对他的徒弟说："如你所愿！让鬼脸消失吧！挥动你的双手，念咒语'埃可塞特——埃可塞特'！"

姑娘用颤抖的声音念着咒语。她迟疑地抬起胳膊挥动了一下，像是在擦一扇看不见的窗户。

房间里先是没有任何动静。但接下来，伴随着一声轻微的炸响，一道古铜色的光在屋里一闪，随即化为翻腾的烟雾。

两只小虎被强光刺得闭上了眼睛。再睁开眼睛的时候，只觉得眼前有无数萤火虫在飞舞。过了好一会儿，他们才看清周围的一切。

墙上原先挂着鬼脸面具的地方，现在空空如也。

巫师无声地从空中飘落，双脚重新踩在了地面上。他鼓起掌来。

“你会成为一个了不起的黑巫师的！把这本书带回家好好跟着练习。记住，在家练习时，一定要切掉所有的干扰源，把你体内的潜在力量激发出来。过一阵子我还会叫你过来的。”

紧接着，姑娘的脚下出现了一本已经用得很旧的书，仿佛是什么幽灵把书放到了她面前。姑娘弯腰把它捡起来，像搂着绒毛玩具一样抱在胸前。

“现在你可以走了！”巫师命令道。

姑娘踉踉跄跄地走出来的时候，帕特里克和碧吉闪电般地把身子贴到墙根上。她没有发现他们。房子的大门打开了。

姑娘刚踏出大门，帕特里克便一阵风似的跑了出去。门已经开始关闭了，在

它完全闭合、门锁“啪嗒”一声扣上之前，帕特里克正好站在门外。

定定神后，

帕特里克才发现碧吉不在身边。她没能跑出来,她被困在了老宅里。

路克也依然不见踪影。帕特里克紧张极了,他呆呆地望着徐徐降临的暮色,内心惶恐不安。

路克在哪儿呢?

请把定位搜索卡平放在第 96、97 页插图上进行搜索。

证　据

这肯定是碧吉这辈子最糟糕的时刻了。她还从来没有像现在这样觉得绝望。她在心底里暗暗地埋怨两个男孩，觉得自己是被他们丢在了困境里。男孩子就是什么也指望不上——她的看法又一次被证实了。碧吉强迫自己缓缓地深吸一口气，好让心情平静下来。现在她得拿个主意，盘算一下怎么逃出去。

里面的大厅里有什么东西在嚓嚓作响，还传来一阵啪嗒啪嗒的声音。碧吉躲在墙角，小心翼翼地朝里面看了一眼。这一看，惊得碧吉睁大了眼睛。

看来被困在巫师的宅子里也并非坏事。她刚刚目睹的一切，将会让小虎们调查的这起案子取得重大突破。

这时候，两个男孩正蹲在墙根，绞尽脑汁地想办法。帕特里克咬得嘴唇都出了血；路克又在紧张地摆弄着他的眼镜。

“我们得把那个巫师引出来。”路克说出了他的想法，“只要门一开，碧吉就有机会逃出来了。”

“怎么引他出来？‘喵喵’叫还是‘咯咯’叫？”帕特里克嘲讽道，实际上他也想不出好办法。

路克指了指他自己刚才藏身其中的木桶。

“弄出点动静来，这肯定是最管用的办法。我们使劲闹腾，我打赌，那巫师肯定会出来看看外面出了什么事。”

碧吉颤抖地拿着手机，顺着门框的边沿慢慢伸了进去，将手机的摄像头对准室内一件件古怪的东西。碧吉连连摁动拍照键，心想：但愿照片上的一切都能

看得清楚，这些都将是巫师玩弄阴谋诡计的最好证据。碧吉把自己的发现写成一条密语，准备有机会给另外两只小虎看。

能 门 线 动 让 ，

举 鬼 起 ， 能 嵌

入 提 脸 起 消 巫

花 墙 师 里 的 失

的 扶 转 瓶 可 的

手 以 细 动 。 自

冒险小虎队· 秘密记录

照片上能够找到几处巫师的秘密？（请将暗语破译卡平放在暗语上进行破译。）

魔　眼

巫师的房子外面突然传来了一阵响声，好像有人弄翻了垃圾箱或者敲破了木箱。

“怎么回事?”

这回说话的不是巫师，而是那个旧货店老板。他凶巴巴地抻着脖子，冲到了前厅。他从头到脚一身黑色，套在头上的一只黑袜掀起了一半。碧吉想，这么看来，这老家伙是那巫师的同伙。他躲在某个角落，启动某些暗藏的机关，让屋里的东西消失或是飘起来。

“打开门!”旧货店老板一边朝里屋喊，一边环视四周，最后将目光落到了碧吉身上。尽管碧吉把自己尽可能地缩起来，紧贴着墙根蹲在那儿，可还是没能逃过他锐利的目光。

“吉尔，快点！”他本来就很尖细的声音现在变成了刺耳的噪音，“吉尔，有人溜进来了！”

巫师匆匆赶了过来。即使没有灯光效果和烟雾，他看上去面目也很狰狞。碧吉还从没见过这样一张灰白的、布满皱纹的脸。

“你是怎么进来的？”巫师缓缓低下头来，像条眼镜蛇那样盯着自己的猎物，“你是谁？”

碧吉一言不发。

这会儿，她的两个同伴还在外面制造噪音，却没能达到预期的目的。

“她去过商店，跟两个男孩一起。”

“把她锁进魔法屋里。我去拿草药。”

旧货店老板摆了摆手：“你自己来吧。别看她小，但跟猫儿一样不老实。”

巫师的双臂瘦得像枯枝一般，但是

很有力。他揪着碧吉的夹克衫把她提起来，拖拽着穿过大厅，最后把她推进一间设在木质护墙板后面的小屋里面。碧吉根本没有反抗的余地，整个过程实在太快了。

碧吉能做到的，只有站稳脚跟，不让自己摔在地上。她发现自己被关在一间圆形的屋子里，天花板上垂挂着三盏晃来晃去的玻璃灯，里面的灯光一闪一闪地跳动着。

墙上贴着红色的墙纸，上面的图案杂乱无章，都是一些乱糟糟的图画和一些无规则的点。

碧吉的腰碰到了一根齐腰高的柱子。柱子晃了晃，发出了“当啷”声。柱子上放着一样跟她手掌心差不多大小的东西，她拿起来一看，是一片红色的水晶片。碧吉把它拿在手里，感觉凉凉的。水晶片是透明的，碧吉把它放到右眼前面，闭上

左眼，透过它来观察墙上的图案。

这一看，吓得碧吉忘记了呼吸，直到感觉脑袋开始发晕，她才深深地吸了一口气。碧吉慢慢地转动身体，从这只奇特的眼睛里看着弧形的墙壁。她的脑子里突然出现了“魔眼”这个词。

她放下“魔眼”，好让自己从刚才的恍惚中回过神来。墙上的图案真是莫名其妙。当她下意识地又把水晶片拿起来时，她在这些鬼怪图像中有了新发现，或许这是一条可以让她逃出“鬼宅”的通道。

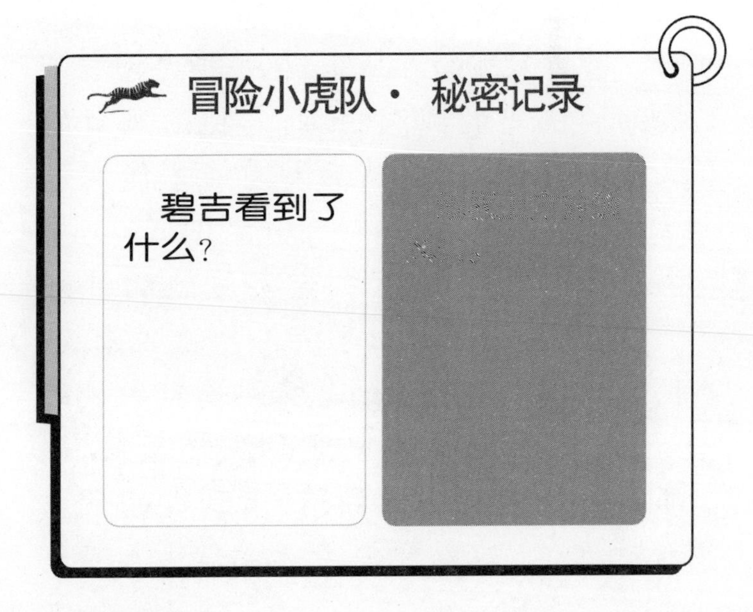

请用书末小虎工具房里的“魔镜”看“鬼怪折叠画”。

重要发现

碧吉双腿跪在地上，把手指尖伸进了被细网围牢的圆洞。她打算把通风口的这个细网卸下来，然后看看能不能爬进后面的通道。

然而碧吉没有机会实施她的计划了。那些圆洞里冒出了淡粉色的烟雾，一股浓烈的玫瑰香精的气味迅速钻入她的鼻子，又在她的脑袋里面飘散开来，刹那间所有她听到过的话、看到过的景象都模糊了，她感觉浑身无力、困倦不已……

冷！转眼间碧吉感觉自己冷得要命！她浑身不停地哆嗦，像发高烧的人寒热发作。她一下子失去了意识。

过了一会儿，碧吉才慢慢清醒过来。

她的周围黑漆漆的一片。她能感觉到潮乎乎的凉意向她袭来，她伸手四下摸索着。原来她坐在松软的泥地上，后背倚着一根树干。碧吉费了好大劲儿才把眼睛睁开，鼻子里还残留着一点玫瑰香精的气味。

她做了几次深呼吸之后，贴着粗糙的树干站了起来。

头顶上是深蓝色的夜空。刚走了几步，碧吉就踢到了一样硬东西。她伸手摸了摸，认出那是一辆自行车的车架。旁边还有两辆自行车。

刚才发生了什么事？她努力地回忆着。

小虎们骑车来到了“鬼宅”——这一点她还记得。她自己甚至还进去过——以后还发生了什么，她就记不清了。她的记忆到此就中断了。

路克和帕特里克去哪儿了呢？

碧吉在黑暗中晕乎乎地寻找着。突然，她听见前面有树枝折断声和粗重的喘息声。于是她停下脚步，准备找个地方躲起来。

但是太晚了。

夜色里出现了两个身影。

"你怎么到这儿来了？"来人跟她打招呼。

站在她面前的正是路克和帕特里克。

碧吉困惑地耸了耸肩膀。

"我们正想报警呢！"帕特里克说。

"我没事。"碧吉安慰队友们。

"宅子里面后来发生了什么？你是怎么出来的？他们人呢？"路克的问题像雨点一样落到碧吉身上，然而碧吉无法回答其中任何一个问题，只把自己一直放在裤兜里的暗语条交给了路克。

帕特里克看见碧吉一脸倦容，提议

说:“我们回家吧!”

三只小虎又朝山丘顶上望了望,“鬼宅”被树林和灌木丛遮住了。

路克扶起车子的时候说:“我们……今天就到此为止吧,明天下午再到秘密据点商量商量吧。”

另外两只小虎疲惫地点点头。

回家的路上,路克还是一副恍惚的样子。他自己倒没经历什么惊心动魄的事,但是对两个伙伴安全的担心把他搞得筋疲力尽。

刚才两个男孩制造的噪音没能收到半点效果:巫师根本没有出现;大门始终紧锁着;没有任何一扇窗户后面亮起灯光——“鬼宅”似乎要向小虎们证明,它是多么的名副其实。

“宝贝儿!”路克一踏进家门,凯平斯基夫人就在客厅里喊。

路克痛苦地闭上了眼睛。妈妈什么

时候才能不这么叫他呢？

路克不大乐意请帕特里克和碧吉到家里来玩，最大的原因就是怕妈妈会当着他们两个的面叫他“宝贝儿”。

路克乖乖地进了客厅，跟妈妈道了晚安。凯平斯基夫人面前的信件堆得像小山一样，她正一封接一封地拆阅着。

“又有这么多请柬。对了，卢姆巴赫家写信来了，感谢我们参加了中世纪晚宴，并且说特别感谢你帮他们揭穿了那帮骗子的真面目。”妈妈把卢姆巴赫先生的致谢卡塞在路克手里。

一般来说，平常路克听到这种消息会很高兴的。可今天身心疲惫的他只想洗个热水澡，马上上床睡觉。

就在这时，他意外地发现了一个重要情况。

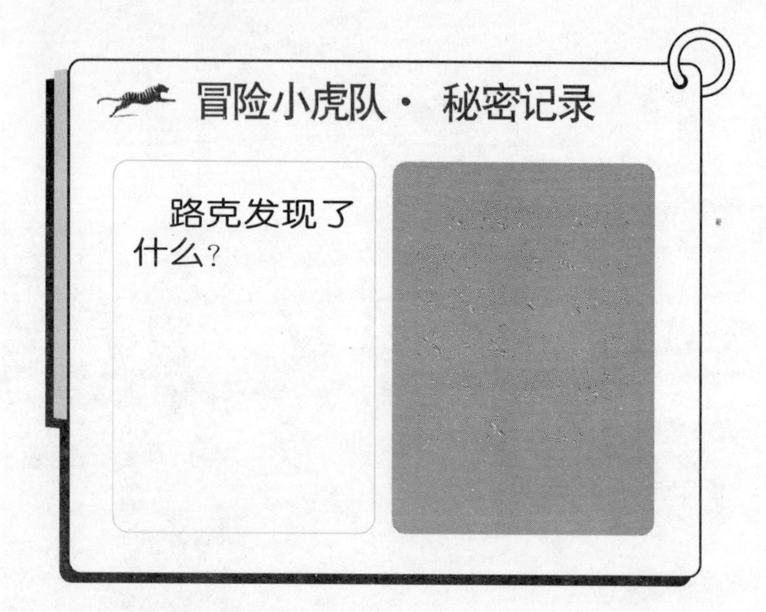
冒险小虎队· 秘密记录
路克发现了什么？

不可思议的计划

路克交替拨打着帕特里克和碧吉的手机号码，可就是联系不上他们。

路克连坐在浴缸里的时候也没有停止拨打，直到碧吉接了电话。碧吉刚吃完晚饭，现在感觉虽然好些了，可还是有点茫然和恍惚。“鬼宅”里后来发生的事，她仍然记不起来。

当路克接通帕特里克的电话时，帕特里克只能小声说话。每次他没能按规定时间回家，他父亲就会变得很严肃，而今天他回去得确实是太晚了。他压低嗓门，又跟路克讲了一遍宅子里面发生的事情：巫师如何施展法术、巫师跟姑娘都说了些什么等等。

路克也把自己刚才的发现告诉了帕

特里克，“这姑娘叫埃尔维拉·卢姆巴赫，”路克说，“她父亲可能是这城里最有钱的人。”

“这样一个人去找巫师干什么？”帕特里克搞不明白。

“无聊呗。因为任何东西她都能用钱买到；因为她不想再受父母的管教；因为她想寻求一点刺激……”路克一口气想到了好多理由。

帕特里克还是不太理解：“不至于吧。不过，那巫师给她上‘魔法课’，好像连钱也不收呀。”

“我可一点都不相信那巫师有什么‘魔力’，”路克说，“碧吉的手机拍的照片不都说明了一切吗？只不过他玩得比较高明，让埃尔维拉这样头脑简单、心灵空虚的富家小姐蒙蔽上当了。”

“那个旧货店老板跟他是一伙的。两个人为了不留痕迹和破绽，下了很大功夫。”浴缸里的路克往后一仰，挤得肥皂泡直往嘴巴灌。他的眼镜蒙上了一层雾气，可他还是戴着它，这样感觉好一些。“这两个人装神弄鬼，到底为了什么呢？这一切有什么意义吗？”

帕特里克想起了什么，说：“碧吉和我还看到过一个小青年，他也去过旧货店的里屋。我想我认识他——他们家是做饮料批发生意的，在一次他们家族公司赞助的球赛上我见过他。”

“又是有钱人家的孩子。”路克总结道。

这时候，帕特里克听见父母站在门厅里，为了防止他们听见，他不得不挂断了电话。

路克一边把手机拿在手里摇晃着，一边静下心来思考。他把帕特里克说的话在脑子里过了好几遍。巫师对埃尔维拉的要求听起来很古怪，要不就是帕特里克什么地方讲乱套了。

由于暂时找不到合理的解释，路克开始想点别的。有时候案子陷入困境时，想些别的倒能更开窍。

不过这回花的时间要长些。半夜里，路克醒来时一身大汗，浑身湿透了。可是突然间，他心里面豁然开朗。

巫师和旧货店老板极有可能是高明的窃贼。他们的徒弟都是富家子弟，他们玩弄这套把戏，为的是放长线钓大鱼。

冒险小虎队· 秘密记录
巫师的阴谋是什么？

巫师显形

多么阴险的计划！

路克把自己想到的全都记了下来，以免早晨醒来的时候会忘记。

第二天早晨一醒来，路克脑子里想到的第一件事就是昨天半夜脑子里冒出来的想法。必须得阻止巫师搞什么“魔法课”！不能让他得逞！

等等……刷牙的时候路克继续思索着，只有巫师和他的同伙在作案的时候被逮个正着，才能揭穿他们的险恶用心。否则，他们会把那些把戏说成是一种游戏，逃脱一切罪名。

路克父母的一位朋友是警察局的老督察员，名叫费利克斯·布莱纳。路克给他打电话报告情况的时候，他正在吃早餐。布莱纳先生已经两次见识过小虎们出色地侦破案件,所以听得非常认真。“孩子,你和你的朋友们发现的线索,可能会帮我们找到几年以来警方一直在追查的一个狡猾的入室盗窃团伙!”听了路克的话,布莱纳警官断定。

这之后的两个星期里,小虎们没有听到任何关于这件案子的消息。碧吉的头脑也恢复了正常,那种迟钝麻木的感觉消失了。

小虎们一次次骑车从旧货店门口经过。终于在一个星期二的下午,他们看见店门前停着好几辆警车,警察正忙着从店里搬出镶着金框的油画、古老而又名贵的立式挂钟和塑像。

路克认出了长着乱蓬蓬的灰白头发的布莱纳警官,于是朝他打了招呼。警官向小虎们招招手,然后走到封锁线边,与被拦在封锁线外的小虎们作了沟通。

“祝贺你们！”他说着，用布满红血丝、带着黑眼圈的眼睛朝小虎们挤挤眼，“大获全胜！两个坏蛋都落网了，商店后面还发现了一个存放赃物的大仓库。清运赃物还需要一段时间。”

“您是在卢姆巴赫家抓到他们的吧？”路克问。

布莱纳警官朝小虎扮了个鬼脸。小虎们明白这代表“是的”。他只是不方便明确告诉他们罢了。

路克在这段时间里一直在想一个问题，这时忍不住问了出来：“那巫师就是吉尔伯特·冯·苏林，对吗？”

“是的。他虽然做了整容手术，但巫师毫无疑问就是他。”警官证实了路克的猜测，“还有一部分赃物在他的房子里。他一心想着要把所有他喜欢的财宝占为己有，还一直声称是一个神灵要求他这么做的。他‘生前’曾因为长相丑陋和嗜好怪异而遭人耻笑，所以他要疯狂报复，专骗有钱人家的孩子上魔法课，了解他们家里的情况，乘孩子练魔法时潜入人家家里行窃。”

警察们还在不断地从旧货店里抬出一件件价值连城的古董。

“我还知道他的帮凶是谁。”路克报出了他的名字，并讲了自己是怎么推断出来的。这让布莱纳警官赞叹不已。

三只小虎笑着互看队友，接着十分默契地同声欢呼：

小虎，小虎，
绝不马虎！
小虎，小虎，
生龙活虎！

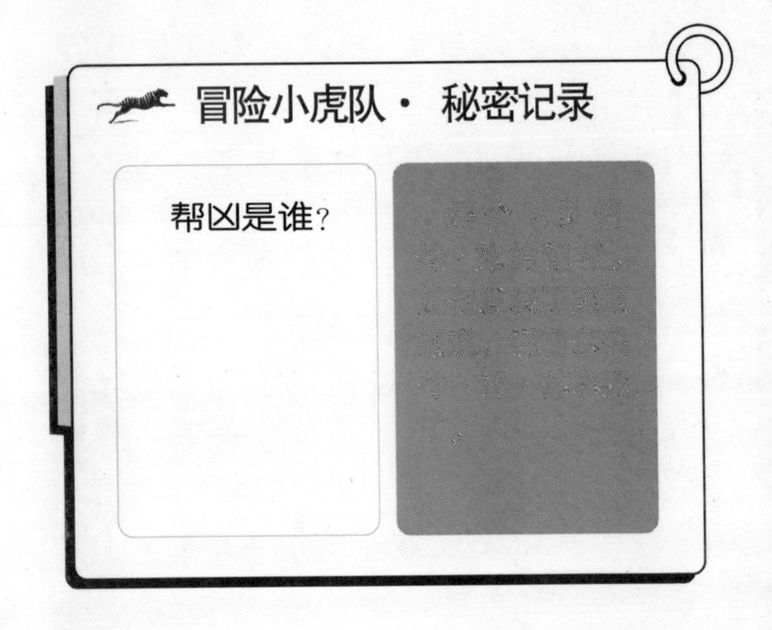
冒险小虎队· 秘密记录
帮凶是谁？

超级成长版

冒险小虎队（短篇小说）

恐怖之树

MAOXIAN XIAOHUDUI

帕特里克失踪了

太阳在天空中灼烤着大地，小虎们热得汗流浃背。

“你们听着，我的身体构造更适合思考，而不是长途跋涉。”路克气喘吁吁地说。

“想偷懒还要找理由！”帕特里克嘲笑道，长距离行走对他来说是小菜一碟。他是运动健将，平时从不间断训练。

终于，在干枯的草原上，一棵树映入了他们的眼帘。这棵树硕大无比，树冠肆意地向外伸展，树干粗得要好几个人才能合抱，树根像许多蟒蛇一样盘绕在地上。

“别走得太近！”碧吉警告路克。路克不解地站住了：“为什么？我只是想到树

荫下面凉快惊快。”

碧吉不敢说出关于这棵树的传说。

“喂,你的脸色怎么都变绿了?这棵树是有毒的还是被施了魔法?它会用根须把人绊倒，还是它能用长长的枝丫把像我这么疲倦的行人抓起来？”路克用嘲笑的口吻诘问道。

“这棵树会吃人。”内心充满担忧的碧吉忍不住说了出来。

两个男孩迅速交换了一下目光，然后爆发出一阵震耳的笑声。

“别笑了，你们这些笨蛋！这是真的，我的叔祖母跟我说过很多次。要知道她在这个地方已经生活了七十年。”

不过碧吉并没有告诉同伴，她小时候曾对这棵树怀有强烈的恐惧感。

帕特里克开始仔细观察这棵树巨大而粗糙的树干：“嘿，这不只是一棵树，而是好多树干缠在一起。我还从来没有见过这样的……”

他的声音突然消失了。

“怎么了？”路克急切地问道，却没有等到任何回答。

帕特里克不见了。

碧吉所站的位置离大树还有很长一段距离，她担心地大声喊道："帕特里克，你在哪儿？"

依然没有任何应答声。这时路克有了一种不祥的预感：帕特里克究竟出了什么事？难道这棵树真的把他……

荒谬！这样的事情只可能在童话中

发生。碧吉和路克围着粗大的树干转着圈。帕特里克消失得无影无踪。

“这棵树把他吞吃了，就像它经常做的那样。”碧吉用嘶哑的声音说道。

路克紧张地把无名指放在嘴唇上。他不明白，帕特里克怎么一下子没了踪影。

冒险小虎队· 秘密记录

帕特里克到底出了什么事？（可用定位搜索卡对第129页插图进行搜索。）

迷失在暴风雨中

碧吉一边把双手抱在胸前，一边发着牢骚：“吓死我们了，帕特里克！”

树叶间露出了帕特里克的脸。他得意地大笑道：“你们俩都上当了，哈哈，这下见识我的厉害了吧。”

路克抗议道：“我们可不会那么容易受骗，我们是在跟你捉迷藏。”

“嘿，你们知道这棵树是空心的吗？”帕特里克坐在树上问道。

“空心的？难道这棵树生病了？”碧吉有点意外。

“不，因为它由许多树干组成，所以中间是空的，从这个洞往下可以看到树干的内部。这上面有一段树杈被蛀虫啃断了。”帕特里克一边观察一边报告。

碧吉朝帕特里克的位置爬过去。路克在树下等待，上树可不是他的强项。

“嘿，从你的百宝箱里拿一支手电筒给我！”碧吉对路克说。

路克把手电筒递了上去，手电筒的光柱一下子照亮了这个洞。这个空心的洞又大又深，里面散发出一股发霉的臭味。

碧吉打了个寒战。也许这就是这棵树的"食道",它就是这样把人吞下去的?

帕特里克从她手里拿过手电筒,因为他也想看看这棵让碧吉胆怯的树。"嘿,看哪,碧吉,里面真的有东西。"他惊喜地叫道。

碧吉弯下了腰,两个人的脑袋碰到了一起。

帕特里克说对了,在树干的深处,很可能是在接近地面的位置,有一些方形的和带尖角的东西。

"喂,你们在上面生根了吗?马上就要下暴雨了,我可不想被淋成落汤鸡。"路克在树下不耐烦地喊道。

帕特里克做了一个鬼脸:"碧吉,我们得快点了。要知道!我们的朋友是用糖做的。"

当两只小虎跳落到草地上时,第一道闪电劈了下来。眨眼间的工夫,轰隆隆的雷声平地而起，大地似乎都在颤抖。天空变得阴沉沉的，雨点开始落下来。

“我记得附近有一座古老的农舍，我们可以去那里避雨！”碧吉说着，拔腿就跑，两个男孩紧跟着她。让人难受的是，这时居然下起了冰雹。这些冰雹足有鸽子蛋那么大，砸在身上仿佛被石头打了

那样的疼。

碧吉惊恐地在原地打转。她迷失了方向，竟然分辨不出农舍究竟在哪个位置。

小虎们找到的唯一的一个路标已经倒塌了，上面的指示牌都断掉了。

“我们一定要找到农舍！”路克在狂风暴雨声中高声叫道。

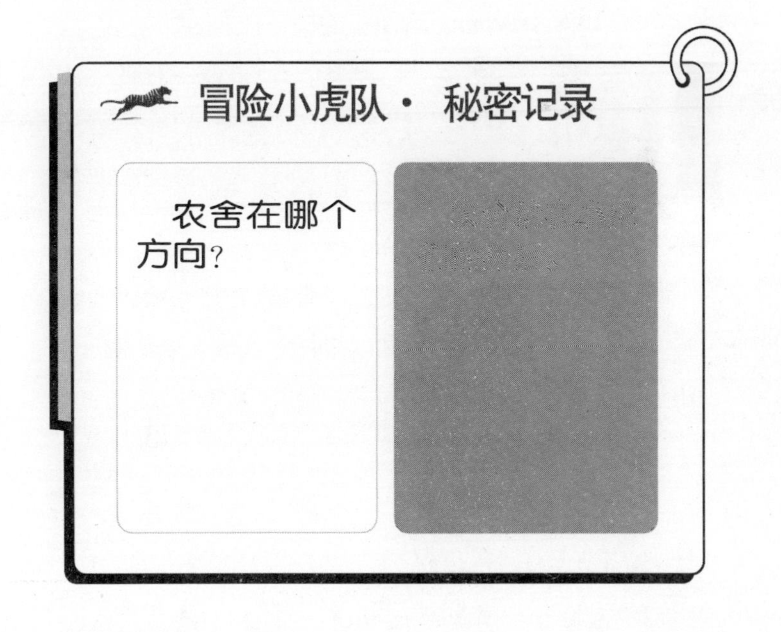

被马蜂攻击

当小虎队到达那座古老的农舍时，三个人早已成了落汤鸡。暴风雨仍在咆哮，他们逃进了一个牛棚。

三头奶牛好奇地抬起了脑袋。

牛棚里的温度让人觉得很舒服，因为三只小虎已经冻得浑身直发抖。

"那棵树的树干里到底藏着些什么东西？"碧吉问同伴们。

"也许有人捏造了那棵树吃人的故事，不让别人靠近那棵树。"路克大胆说出自己的看法。

"喂，你们在那里干什么？"一声喝叫把小虎们吓了一跳。牛棚门前站着一个矮小而结实的男人。

三只小虎连忙解释，他们只是想避

避雨，并没有别的企图。于是，男人请他们走进一个宽敞的厨房。

厨房里，一张大桌子旁坐着两个男人和一个年轻的姑娘。

“这是我的伙计尤尔根、奥拓和罗莎。”刚才那个男人，也就是农舍的主人古伦克恩先生向小虎们介绍，奥拓的个子最矮。

三只小虎一边喝着茶吃着点心，一边讲述他们刚才的发现。

古伦克恩先生告诉他们：“在一百多

年前，这个地方并不太平。这里曾经住着一位公爵，传说他在这附近埋藏了许多家族珍藏的宝贝。可他死后，就没有人知道这些宝贝的下落了，现在他的城堡也不存在了。”

“财宝说不定就藏在那棵空心树里，我们得马上报警。”路克激动地说。

可是因为暴风雨的袭击，电话线路发生了故障。

由于雨一直下个不停，古伦克恩先生邀请小虎队参观一下农舍里的动物饲养棚。

牛棚后面是猪圈，那几头猪胖乎乎的，看起来又肥又壮。

就在三只小虎轻抚它们脑袋的时候，猪圈的门被轻轻地关上了，接着从外面插上了门闩。随后，有人推开一扇小窗子，扔进了一个纸袋。纸袋落在小虎们的身边，天哪，是一个马蜂窝。

马蜂们嗡嗡地叫着，开始发起进攻。

帕特里克冲向猪圈门。可门怎么也打不开，于是他后退几步，用尽力气撞击大门。门闩被撞断了，大门一下子被打开了。小虎们终于逃了出来。可马蜂还是紧追不舍。

“这是谁干的？”碧吉气愤地问。

“我知道是谁干的。”路克一字一顿地说。

伙伴们惊讶地看着他。

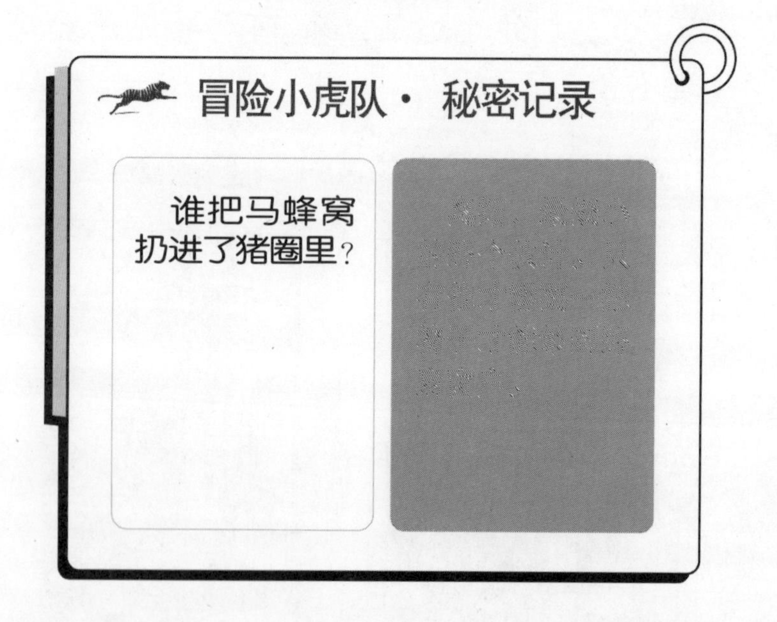

别想做伪证

“这是什么意思?他为什么要这么做?”得知真相的碧吉怒吼道。

“他很可能想把我们拖延住,以免我们向外报告发现的情况。”

“可这是为什么呢?”帕特里克还是不明白。

路克白了他一眼。“你的脑袋难道只是给脖子挡雨的?”他揶揄道。

“思考不是你的强项吗?”帕特里克反驳。

“那个家伙想把宝藏从树干里拿出来!”路克没好气地说。

碧吉意识到奥拓肯定会拿着一把电锯到大树那里去,那棵属于大自然杰作的树将会被毁掉。“我们必须阻止他,快点，他可能还没走远！”碧吉让伙伴们和自己一起去追赶奥拓。

狂风已经歇息，暴雨也越来越小了。

在湿漉漉的草原上，小虎队朝着大树的方向奔去。就在离大树还有一段路程的时候，他们听到电锯发出了恐怖的轰鸣声。他们没有猜错。

“停下来！不要再锯了！”三个人用尽全身力气大声制止。

轰鸣声停了下来，紧接着一辆汽车被发动了。一辆小吉普车旋风一般地开走了。

“那人真的是奥拓吗？”心急如焚的碧吉问两个男孩。他们耸了耸肩，表示不置可否。

“我们得向古伦克恩先生报告这件事，否则奥拓过些时候还会再来的。”路克建议。

当他们气喘吁吁地回到农舍时，全

身被汗水浸透了。刚才小虎们看见的那辆吉普车就停在房子前面，旁边还停着两辆别的汽车。

古伦克恩先生还在厨房里忙着。

路克向他打听那辆小吉普车的主人是谁。

“那是奥拓的，怎么了？”古伦克恩先生有点纳闷。

小虎们交换了一个意味深长的目光。他们猜对了。

他们向古伦克恩先生讲述了自己的发现，并让奥拓马上到厨房来。

这个矮个子男人否认了所有的事情，还骂小虎们是骗子。

“你们连一点点证据都没有，就随便冤枉人，我可一直都在农舍里待着！”他举起了一只手，信誓旦旦地说道。

“人们把你这种行为叫做做伪证！”路克说，“我们可以证明，你曾经开

车出去过!”

小虎们随即向众人出示了一项证据。这下,大家都相信了小虎们的话。古伦克恩先生警告奥拓,如果那棵树有什么三长两短的话,他会被立刻赶出农舍送到警察局去。

一个星期之后，自然保护组织对那棵树采取了保护措施，并且有专人负责看守，直到那些宝藏找到它们的主人，移到安全的地方。

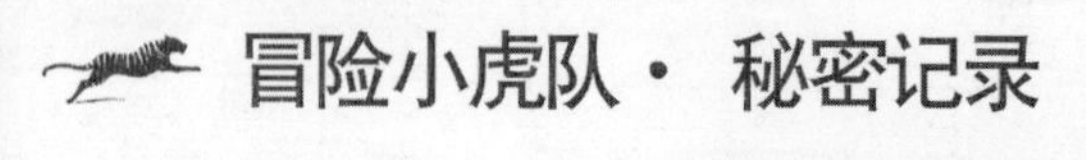

路克怎么能证明奥拓出去过？

超级成长版

冒险小虎队

请你来破案

MAOXIAN
XIAOHUDUI

案件 1 马儿危险

一个家伙给拉默养马场打来匿名恐吓电话，而碧吉的爱马就在那家养马场。于是小虎们都到马厩周围来看守，然而

什么事情也没有发生。不过，那个打电话的家伙仍然声称，马儿们很快就会接二连三地生病了。

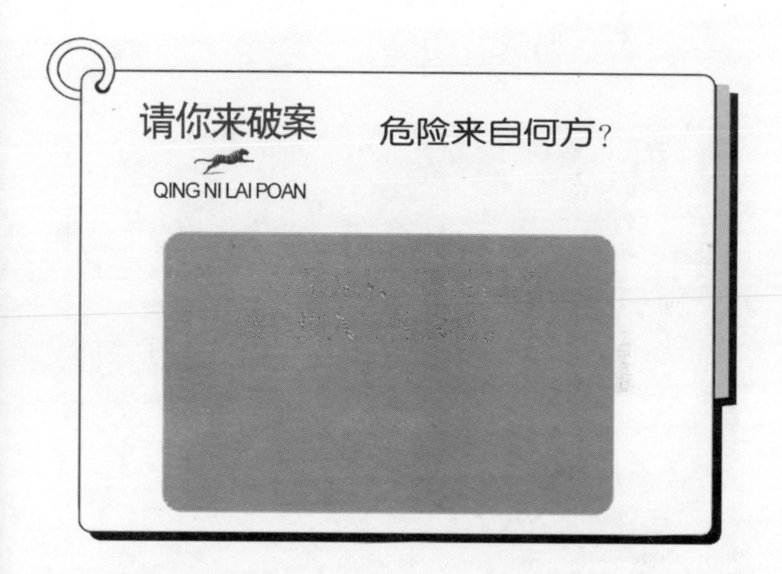

案件 2 密信

感冒中的帕特里克匆匆赶到秘密据点，可是另外两只小虎已经等不及先出发了。他们留给帕特里克一封密信，可惜

他一时想不起解密的方法了。怎样才能解读这条秘密信息呢？帕特里克得将眼前的这些汉字去掉其中的某一些才行。

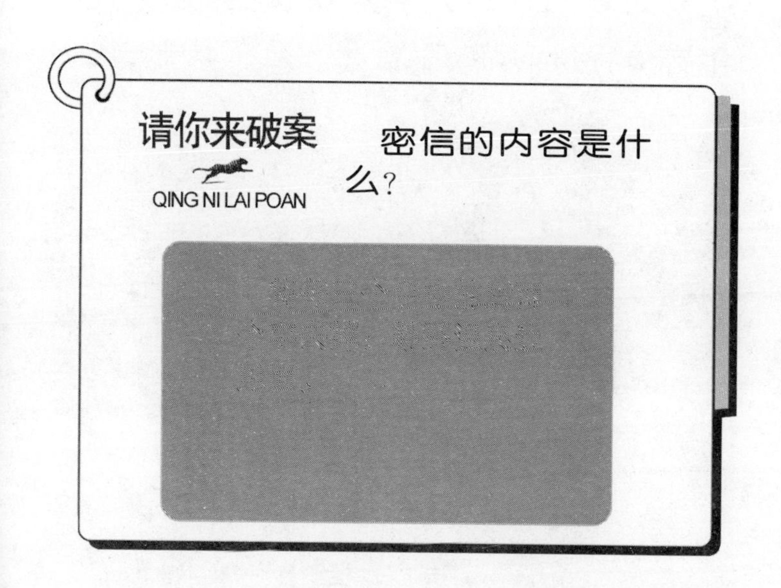

案件 3 坏掉的电脑

小虎路克眼下正气得火冒三丈，他崭新的电脑根本无法启动。他怀疑是表哥罗伯特使的坏，可表哥却死不认账，还

一脸幸灾乐祸的坏笑着。任凭路克怎么摆弄,电脑也无法恢复正常。这下怎么办呢,路克还急着上网查资料呢。

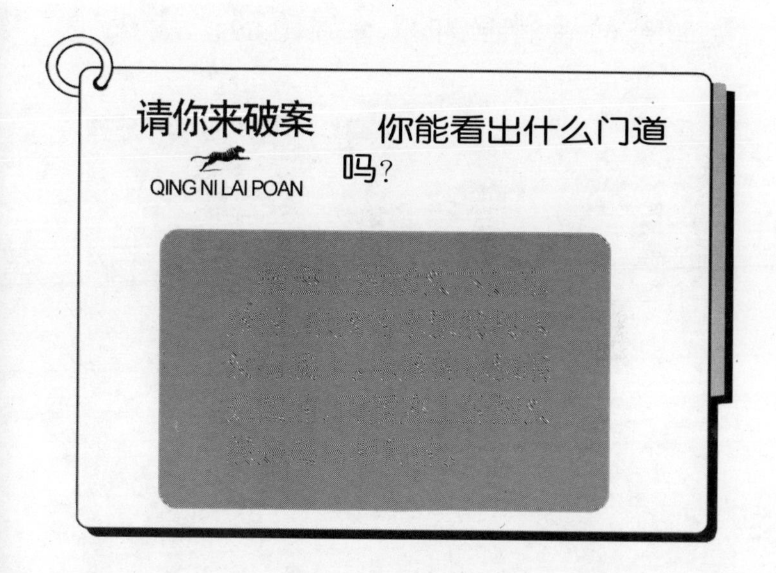

案件 4 冒泡的面条

三只小虎这回可真是气得七窍生烟了，他们在一家意大利餐馆要了面条，可是面条的酱料里却掺着冒泡的洗洁精！

他们怀疑又是老对头洛塔厨师干的坏事，可是洛塔的身上和周围却找不到一丁点儿洗洁精的影子。

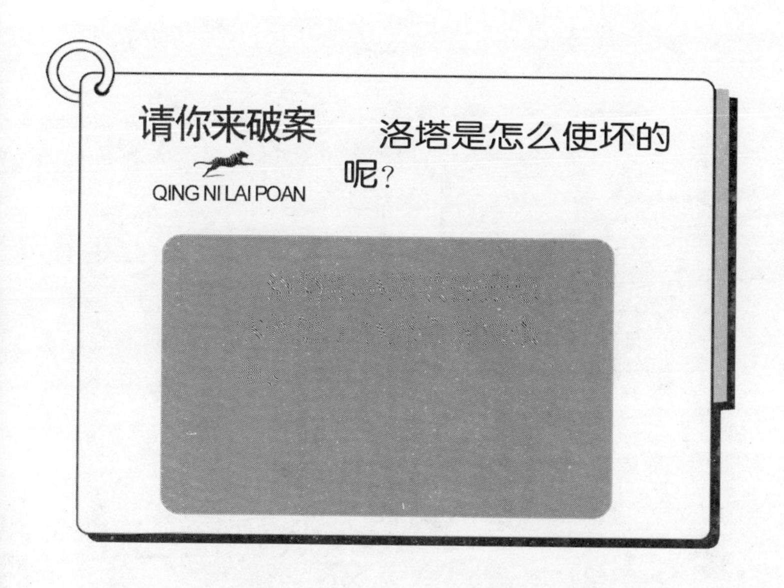

案件 5 加油站的咄咄怪事

加油站的马丁·盖尔勒最近碰到了件怪事，他给光顾加油站的每辆车明明都加满了油，可不知怎么回事，刚加的油

很快就在油箱里消失了！

小虎们经过对加油站的密切观察，终于发现了秘密。

案件 6 谁弄坏了小矮人

这天，帕特里克的女邻居非常恼火，她家花园里的小矮人被人弄断了脑袋。她觉得这一定是帕特里克干的，因为前

几天她把帕特里克逃学的事告诉了他的父母，她认为这是帕特里克在报复。

然而，帕特里克是无辜的，他可以证明这一点。

案件 7　一级方程式赛车被劫案

小虎们获准到一级方程式赛车的训练场参观。突然，帕特里克喊道："有人劫车！"

还没等碧吉和路克反应过来，帕特里克已经一溜烟地追了出去。

帕特里克是对的！的确有人想偷车。

案件 8 杜撰的海员历险记

路克在码头附近的一家旧货店发现了一件非常古老的潜水服。“有一位海员，他当初就是穿着这套潜水服下潜到

大海深处，寻找‘泰坦尼克号’残骸的！”店主用颇为神秘的语气跟他讲。

可路克认为店主的话完全是杜撰出来的。

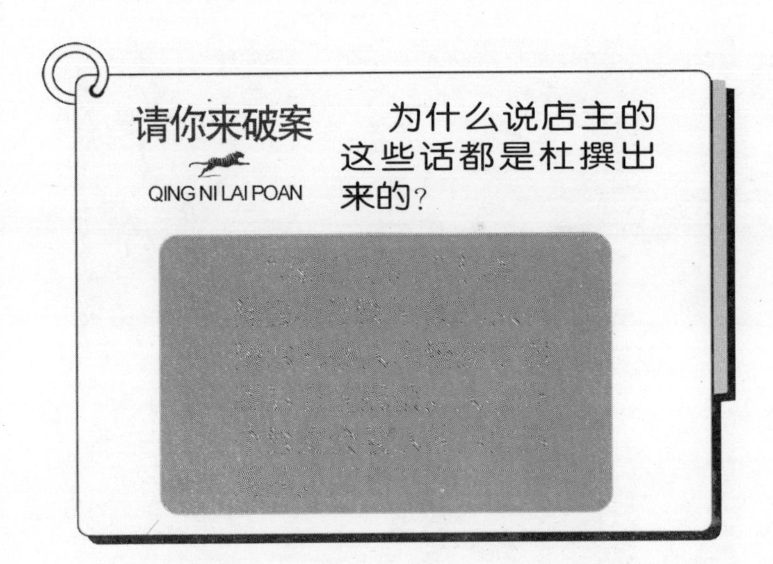

案件 9 照片为证

6 月 23 日晚上 18:20 左右，岗斯迈耶男爵在家中被袭击。他背后被重重地挨了一击，因此没能看到嫌疑犯的面貌。

然而令人吃惊的是，警察收到一张照片，照片上男爵的侄子阿尔贝特正手持棍棒悄悄地从男爵身后靠近他。不过，小虎们一下子就看出这照片是伪造的，是有人想陷害阿尔贝特。

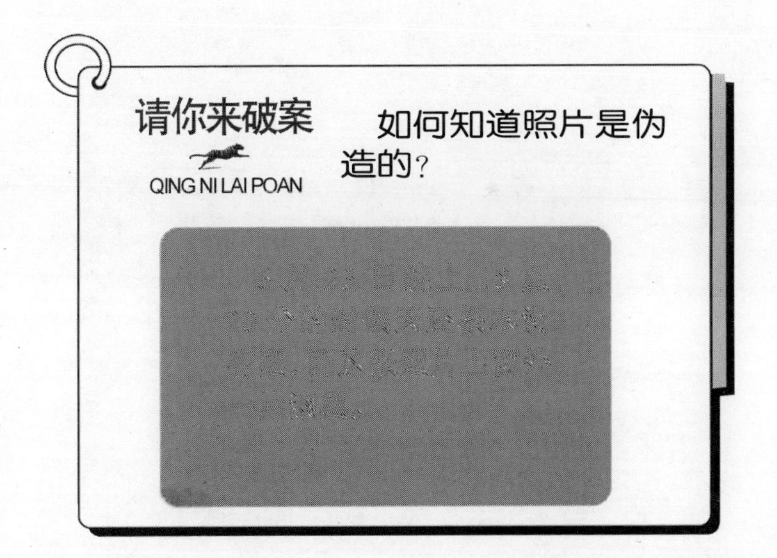

案件 10 失踪的马克

30 年前，马克·韦斯顿布什失踪了。在马克的父亲老韦斯顿布什伯爵死后出现了三名男子，他们都宣称自己是马克，

三个人都想继承巨额遗产。小虎队将马克年轻时的照片和三个人进行了对比。

案件 11 飙车者

一辆黑色轿车以风驰电掣般的速度在居民区的马路上疾驰。帕特里克记下了车牌号的最后三个数字。几天以后，他

看到这辆车子停在小区里，便上前批评矮个车主不应把车开得那么快。矮个车主非常生气，辩解道："这辆车一直只有我在开，而我从来不飙车！"

案件 12　哪个方向

难,太难了!小虎队终于找到了运走两头小马驹的卡车的轮胎痕迹。碧吉想救出这两匹小马驹,就把正确的线索报告给警察。

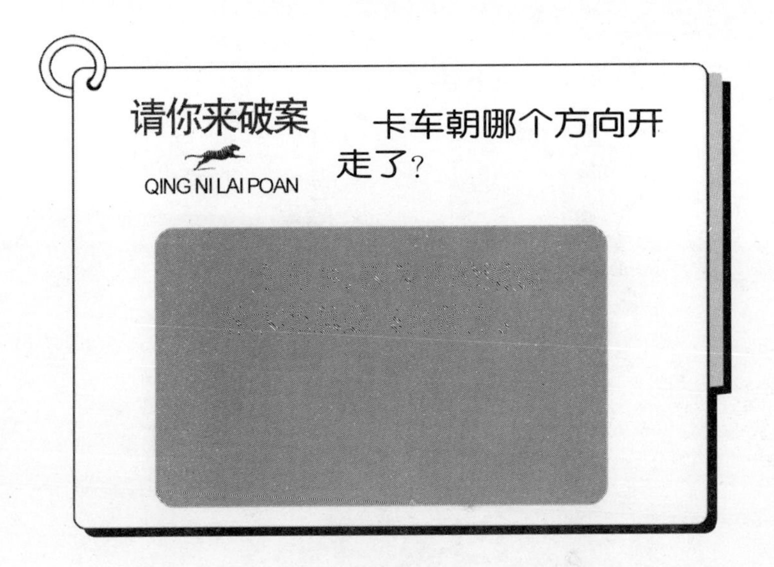

案件 13 神秘的脚印

小虎队在森林深处发现了一座被废弃的木屋。实际上这座小木屋却是一个非常安全的藏身之地。他们还在屋子前发现了一串神秘的脚印。

深脚印
浅脚印

请你来破案
QING NI LAI POAN
这串脚印说明了什么问题？

超级成长版

冒险小虎队

超级破案绝招

MAOXIAN
XIAOHUDUI

常见的线索有哪些？它们又能带来什么启示？

足迹：就是脚印。从足迹上可以判断作案人穿的是什么样的鞋子。或许是一种只有在某个商店里才能买到的鞋子。这样的话，哪些人最近买过这样的鞋子，到商店去了解情况，也许商家能提供有效信息。

工具：钻头、螺丝刀、刀子等等。有时候这些工具带有序列号，警方根据登记可以找到出售这些工具的零售商。或许他能够记起将东西卖给了什么样的人。

污迹：包括泥土、灰尘、烟蒂等。从中我们可以看出，作案人在案发之前到过哪里，他们抽什么牌子的烟。等以后找到怀疑对象的时候，就可以观察一下他的物品上能否找到类似的东西。

辅助手段：比如一把作案人用来踩在上面从架子上拿取物品的椅子，可以透露他的身高。

线头：在墙上或是作案人破窗而入时打碎的玻璃上，时常会找到一些线头，它会给我们提供案犯着装方面的线索。

指纹：作案人通常会在现场留下指纹。

齿痕：比如作案人咬了一口苹果、面包或是巧克力，留下了齿痕。等后来找到怀疑对象时，就可以比较一下他的齿印与原先找到的齿痕是否吻合。

案犯的某些习惯：比如把玻璃碎片扫到一边，撬开保险库之前涂上润滑油，或者惯用某种工具。如果能断定作案人是惯犯，那么警方的电脑里可能会有关于他的资料。

如何在案发地点搜寻线索

首先要对地面展开搜索。因为这之后进行的调查取证工作很容易将地上的痕迹擦去或者破坏。其次是指纹和手印。

等案发现场基本调查清楚了，就可以开始全方位搜集案犯留下的蛛丝马迹，如毛发、衣服上的纤维或纽扣等。

如何保存证据

把找到的物品分别单独存放，这一点是非常重要的。

在现场找到的任何一样东西，不管是头发还是布料碎片都要单独装到一个小塑料袋里，并且要在袋子上标明在什么时间、什么地点发现的。两样不同的证据绝不能放到同一个袋子里，否则就会破坏一些线索和痕迹。

人为什么会留下指纹

非常简单。你自己就能感觉到，手指和手掌通常有点湿润，这是我们的皮肤分泌出来的汗液。我们指尖上的纹理就像是印章，汗液就像是印泥。

不同的指纹之间有相似之处吗？

是的。很多人的指纹都具有某些特定的形状。如：

条纹状

旋涡状

拱形状

绳套状

有没有指纹完全相同的两个人

没有!就算是双胞胎,他们的指纹也互不相同。

如何在案发现场搜寻指纹

要点:不要碰任何东西!否则你也会留下指纹的。用胳膊肘压下门把手,进入现场后按螺旋式路线进行彻底搜查,认真检查每件物品和家具。

你能用肉眼发现指纹吗?如果不能,那就好好想想:作案人有可能碰过哪些物品,然后重点检查这些物品并做记录,以便稍后用指纹粉提取保存它们。

哪里是提取指纹的最佳地点

所有的光滑平面。其中最适合的有:

1. 窗户(窗框和玻璃都要检查)。案犯是通过窗户闯入室内的吗? 他是否不够小心,直接用手碰了什么东西?

2. 抛光的家具表面。如上面压着玻璃板的桌子、光滑的画框。

3. 花瓶、较大的盘子和瓶子。

4. 首饰盒。

留下足迹的人是在跑还是在正常走路

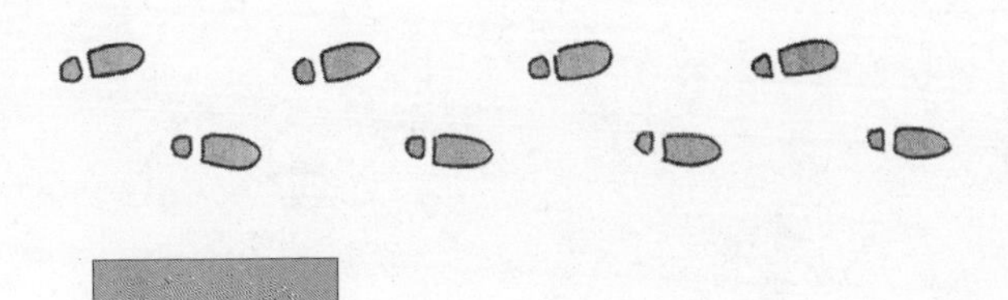

此人前进的速度是快还是慢

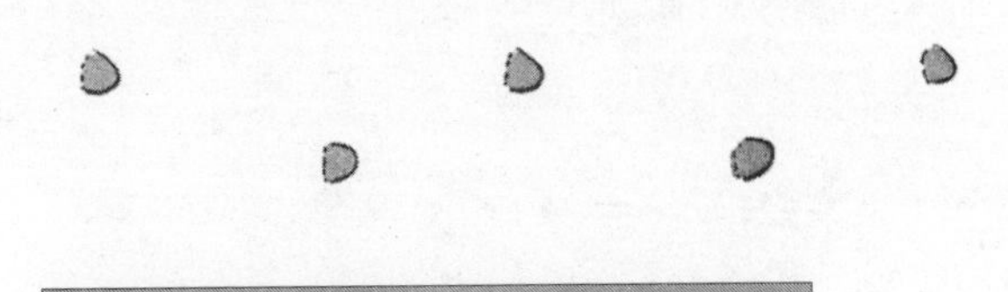

这串足迹能透露主人的什么信息

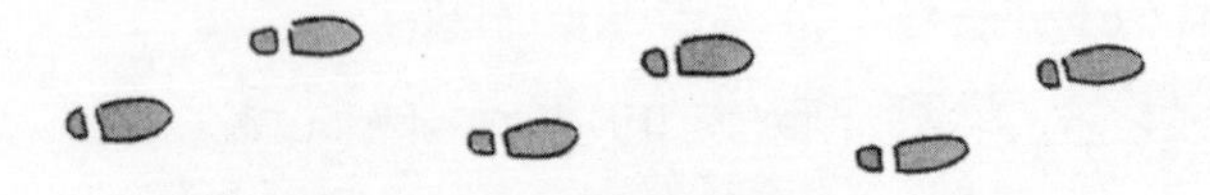

这串足迹是什么人留下的

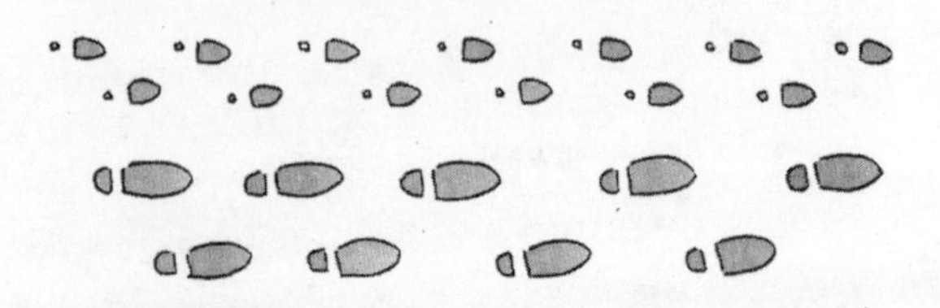

这串脚印说明什么问题

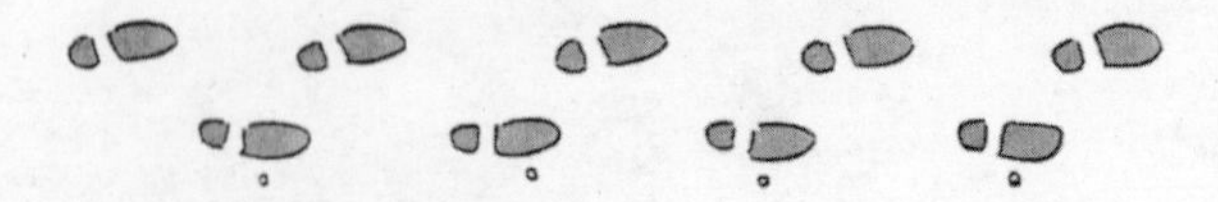

这是几个人的脚印

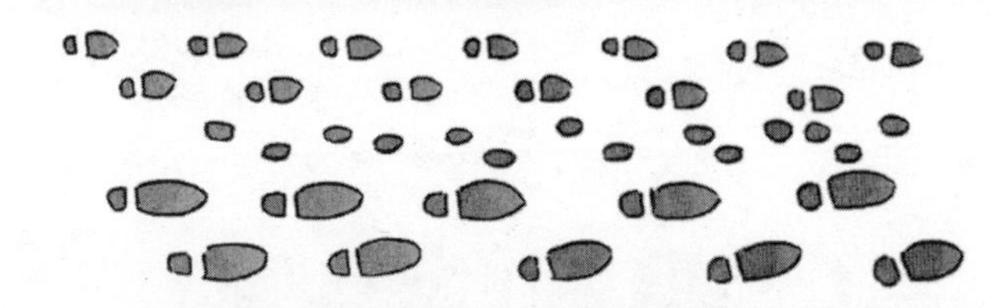

脚印之间的距离很大说明什么

留下脚印的人十有八九是在跑，跑的时候步子当然要大一些。这样的脚印说明作案人是跑着离开现场的。

陷得特别深的脚印说明什么

留下脚印的人若不是体形肥胖，那就是搬着重物。

这些脚印都是哪种鞋子留下的

看第 182、183 页上的图，给每个脚印找到和它相配的鞋子。

脚印：

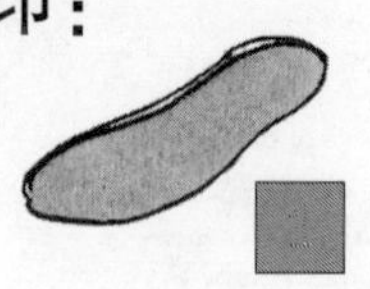

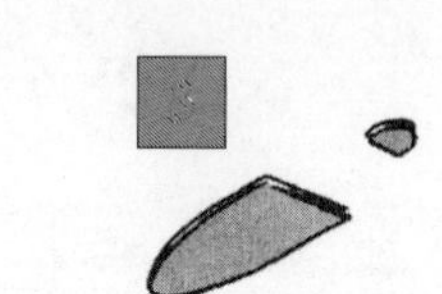

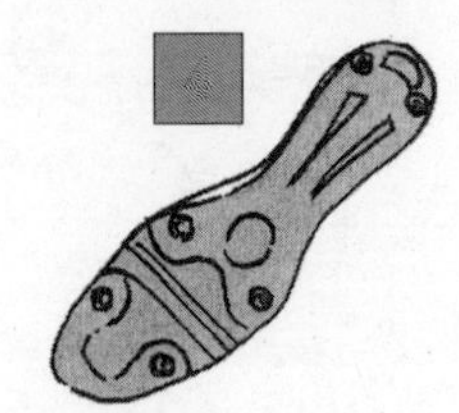

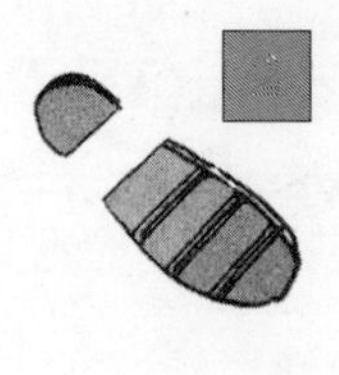

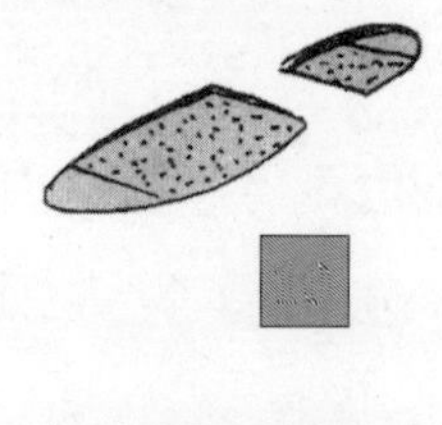

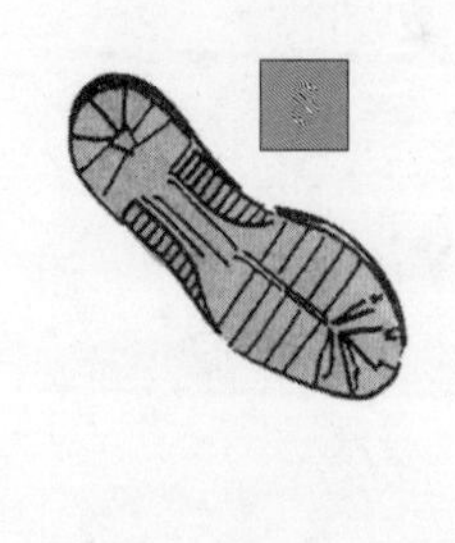

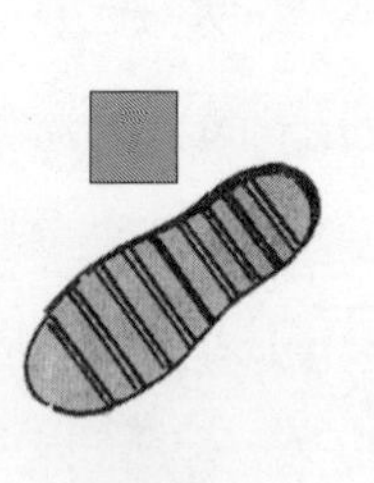

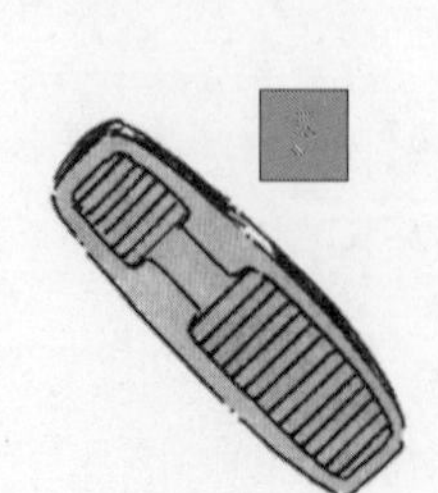

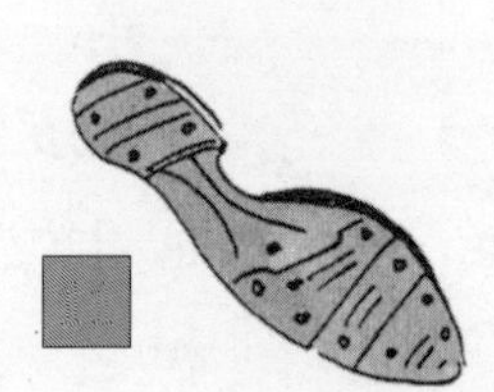

鞋子:

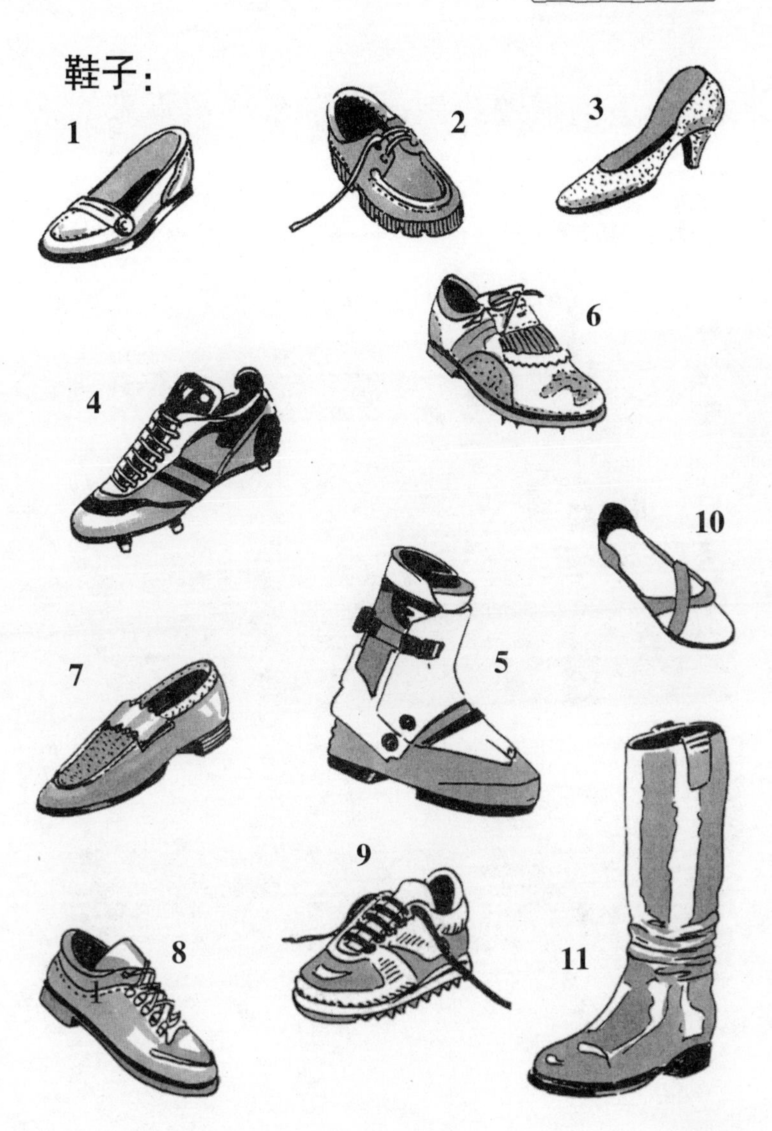

下列痕迹分别是哪种车辆留下来的

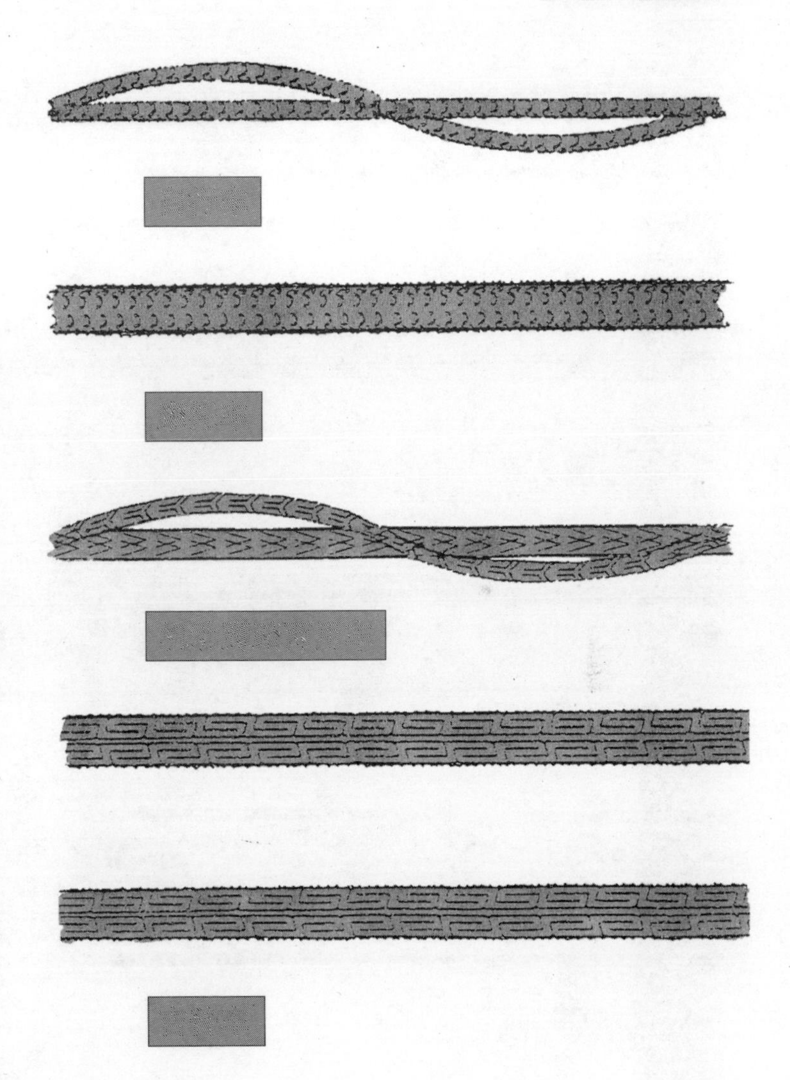

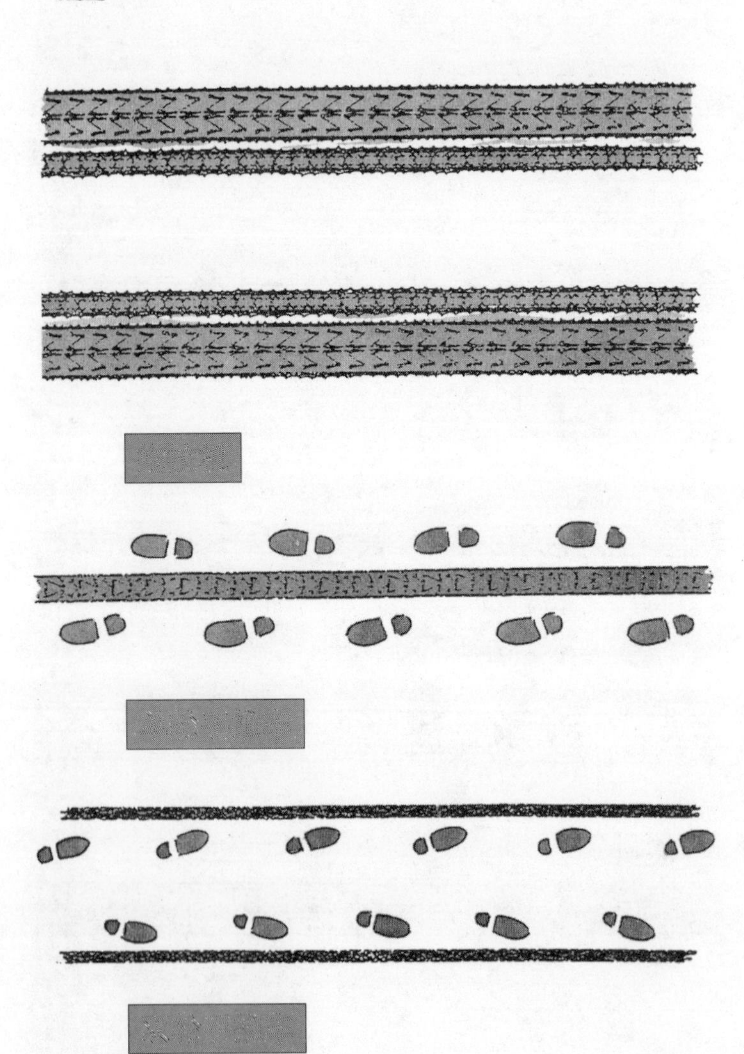

这辆自行车朝哪个方向骑去

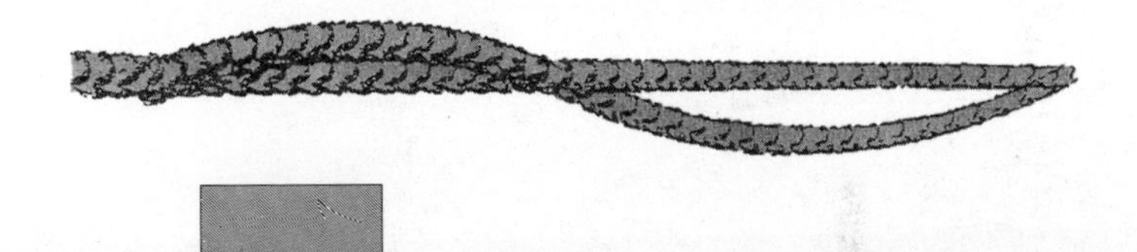

哪辆自行车骑得快，哪辆骑得慢

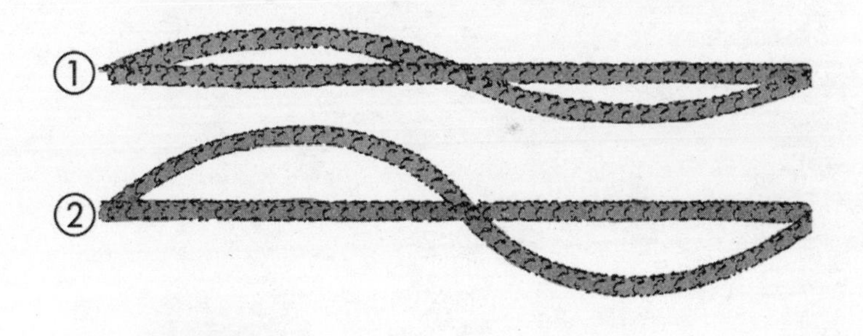

这辆车朝哪个方向驶去

这辆车又是朝哪个方向驶去的呢

雪地中这些痕迹分别是谁留下的
解密卡会告诉你正确答案的。

痕迹：

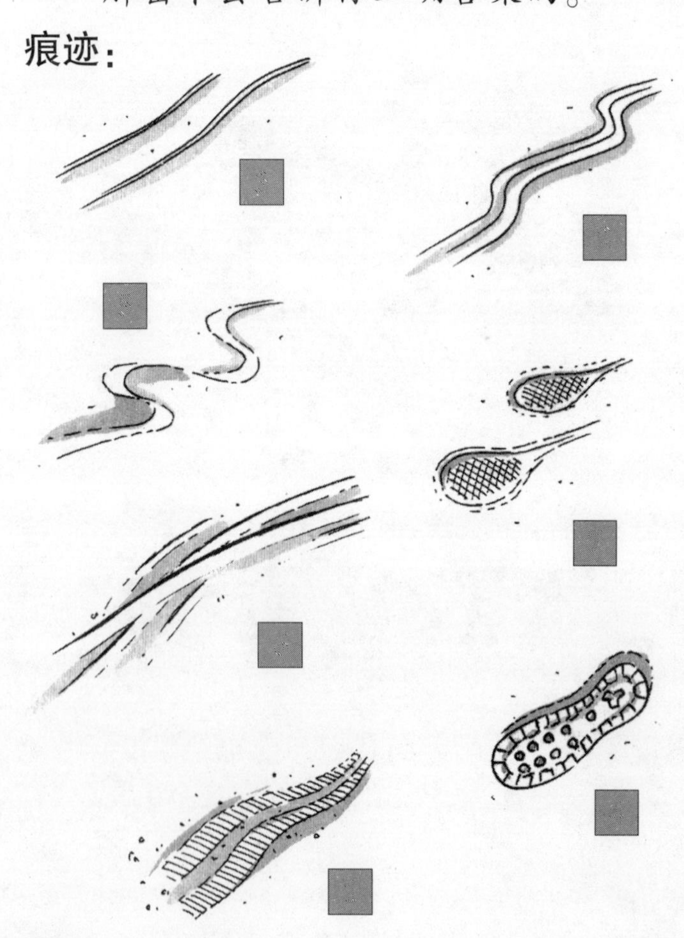

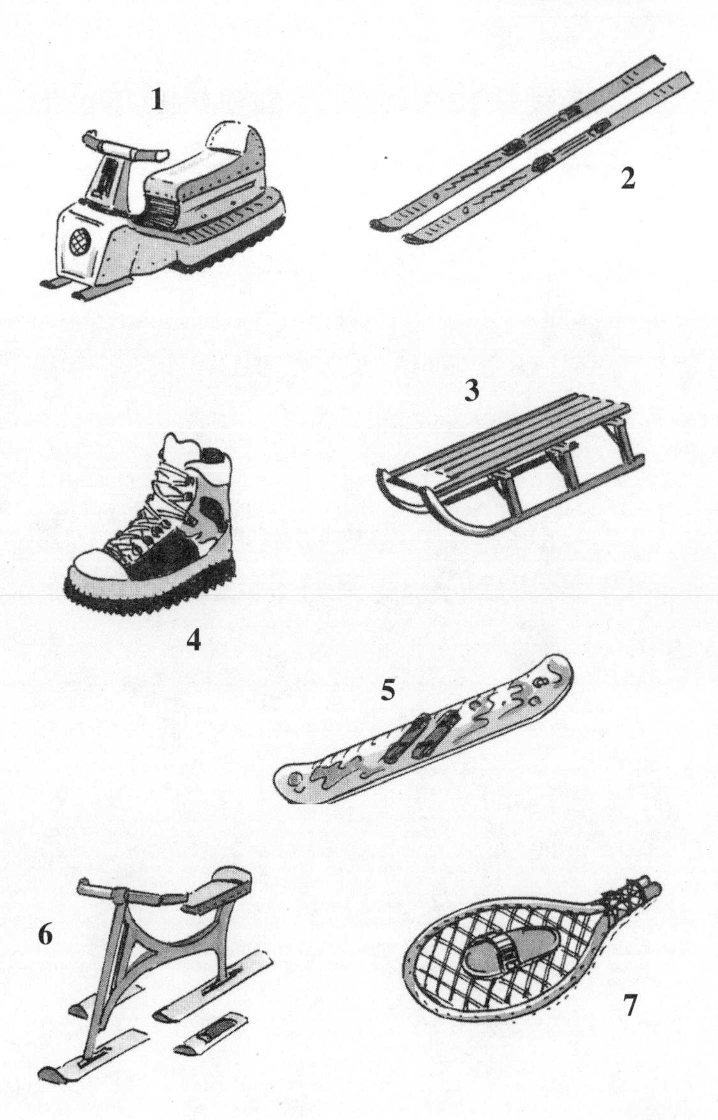
1
2
3
4
5
6
7

怎样判断雪地里的足迹是刚留下的还是留下一段时间了

白天因为温度高一些，雪会稍微融化一点，所以足迹的边缘就会扩大一些。先留下的脚印总比刚留下的要大一点。而且，新脚印的凹陷边缘非常整齐，而旧脚印的边缘比较圆滑。

入室抢劫案的现场如果发现了特别多的线索，或是没有任何线索，这说明什么

很有可能这个现场是伪造出来的。比如那些想骗取保险公司赔偿的人，他们想尽一切办法来证明自己被抢劫了，所以经常在现场制造很多的证据。真正的坏人可不会留下这么多线索。

还有一些人会忽略一些东西：比如一个从二楼闯入的小偷，肯定会在房子的墙边、窗户上、地毯上、或者室外的地

面上留下痕迹。如果主人声称盗贼是从二楼窗户进来的，而窗户底下又有花坛，那么屋里的地面上应该会留下一点泥土。要是一点泥土都没有，那么主人的话就很可疑了。

为什么铁丝网上能找到很多线索

铁丝网简直像磁铁一样，能“吸附”很多线索。谁要是翻越铁丝网，或者只是在上面蹭一下，就很容易留下痕迹。比如扯下的裤子上的布片，夹克衫上的线头，或是从衬衣上钩下来的布头。

连动物们也会留下身上的毛。山里面漫步通道两边的低矮铁丝网栅栏是搜寻线索的好地方。

但是注意：要是不想留下什么痕迹的话，那么在翻越铁丝网的时候就得特别小心。

这儿出了什么事？仔细看看第194页这一页上的图画，或许你自己就能找到答案

小偷从窗户闯入房间，在厨柜里翻找了一通。这时，房子主人听见了可疑响动，从床上爬起来，和小偷展开了搏斗。之后小偷从房门逃之夭夭。

走路的人姿态如何

什么人经常会留下这样的足迹？牛仔，足球运动员，还是舞蹈演员？

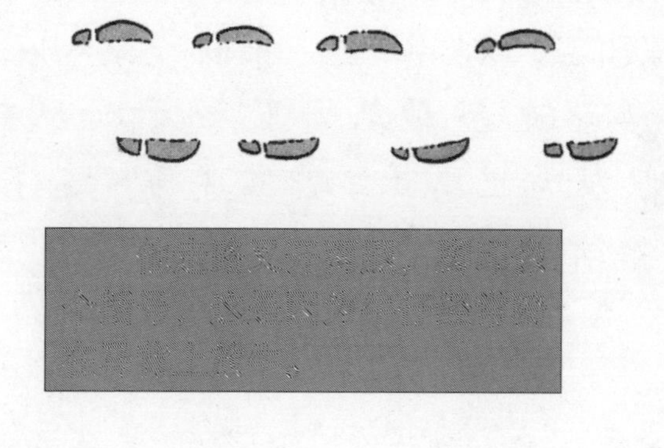

光滑地面上的脚印也能辨认出来吗

能！假如作案人事先踩到过什么东西（例如血、油、面粉、沙子和泥巴），那么或许就会留下脚印。也可以把脚印拍下来，用一些特制的粉末或者液体让它们更清晰一些。

如果有人是光着脚走在地面上的，也会留下脚印。那么就可以采取类似提取指纹的办法，用粉末让它们显现出来，再用粘胶片提取并保存。

足迹能说明哪些问题呢

我们可以根据足迹推断作案人在现场的活动轨迹。他从哪里来？到哪里去？最后又从哪里离开了作案现场？这样就可以推断案情发生的经过了。

此人在做什么

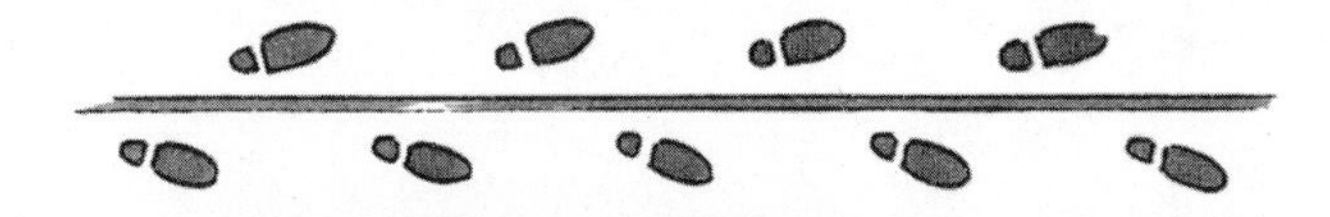

这个人又在做什么

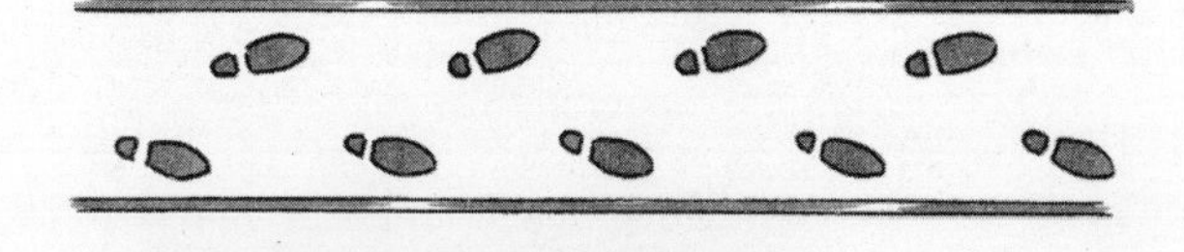

留下这脚印的人怎么了

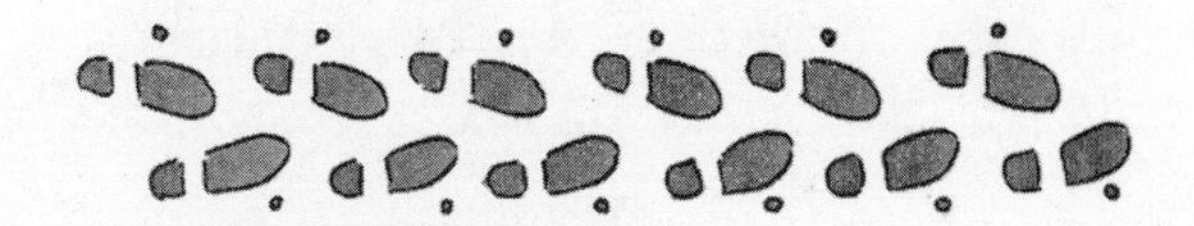

走路的这个人怎么了

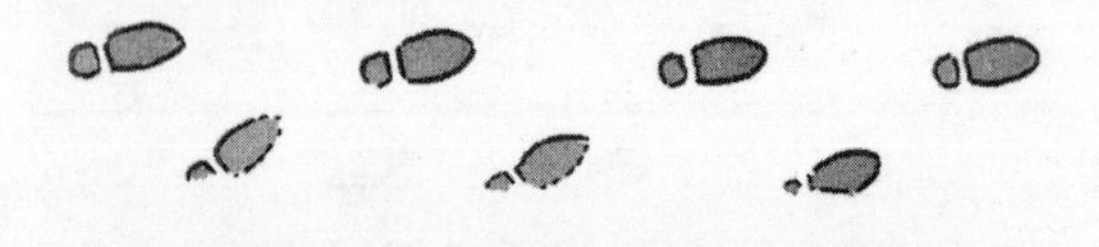

这样的脚印说明什么

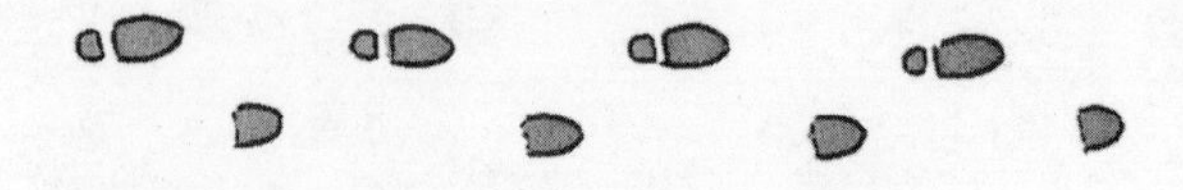

怎样才能确定是谁在门外偷听

检查一下门的外面，找找耳朵留下的印迹。不少坏人都是根据这个被定罪的。偷听的人会将一只耳朵贴到门上，留下耳印。因为人的耳朵跟手指一样也是有点湿润的。你可以像提取指纹一样把耳印提取下来。

为此你需要一种很宽的胶带，或者自动粘贴的胶片。然后就可以把耳印和怀疑对象的耳朵作对比了。

液滴的痕迹能说明什么

液体以飞快的速度溅到墙上留下的印迹。

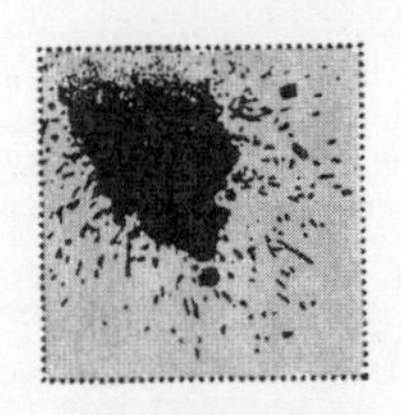

若干滴液体落在了一处。

很大的液滴，所以淌了下来。

液体溅到墙上时速度较慢。

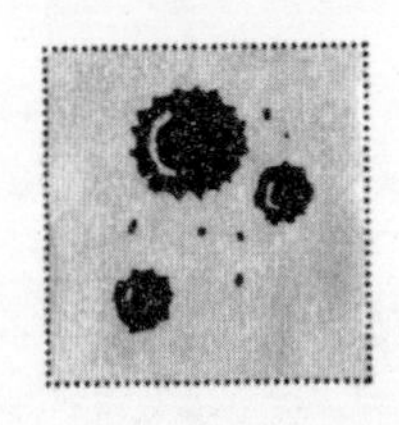

滴到桌子上的液滴痕迹。

什么是布料线索

一位女士遭到袭击，钱财被洗劫一空。当天，她的手提包里正有一百万现金巨款。当时抢劫犯蒙着脸，并且将女士麻醉了。

在女士身旁潮湿的土地上，警方发现了膝盖跪在上面的痕迹，并据此非常准确地画出了案犯裤子的布料纹理。

所有知道女士当天持有巨款的人都

接受了讯问。最终，警方找到了穿与案发现场同样布料纹理裤子的人。

经过长时间的审讯，此人终于承认是他抢劫了那位女士。

线索通常有哪些呢

- 指纹
- 鞋印
- 耳朵、鼻子和嘴唇留下的印迹
- 毛纤维或者线头
- 剥落的油漆
- 一支丢失的圆珠笔
- 手帕
- 打火机
- 口香糖
- 车票
- 毛发
- 纽扣
- 轮胎留在地上的痕迹

- 烟蒂
- 手写的纸条
- 用唇膏写在玻璃上的字
- 巧克力上留下的牙印

什么是微型线索

微型线索是指那些肉眼看不到的线索。只有用倍数很高的显微镜，甚至是能放大 500000 倍的电子显微镜才能把它们看清楚。在这种显微镜下面，一颗糖的颗粒看上去会像一百平方米的巨型糖块一样大。

根据微型线索可以断定什么呢

• 一根被用来撬门的铁撬棍上找到了剥落的油漆。它们被拿到显微镜下观察，并与门框上的油漆碎片进行对比，看是否一致或者有所不同。

• 有人声称他最近几星期从未去过

森林。但显微镜下发现他的裤子上粘着蕨类植物的种子，显然此人在说谎。

• 头发的末端截面非常平整，说明头发刚刚剪过。也就是说嫌疑犯刚刚到过理发店。

• 开枪的时候会有硝烟从枪膛里冒出。每支枪、每颗子弹都会冒出不同的烟。因此用显微镜观察一下硝烟，就能够断定某人是否开了枪。

• 微小的地毯纤维可以证明某人曾经躺在哪一块地毯上。

• 花粉也能指证嫌疑犯。一起抢劫案发生后，受害人和嫌疑犯的衣服被拿到超倍显微镜下观察，结果发现了同一种微型颗粒，这是受害人家里桌上的花散播出来的花粉。这意味着：嫌疑犯有重大嫌疑，尽管他自己不承认，但是很明显他到过案发现场。

• 汽车漆里有门道。一辆停在车位

里的蓝色奔驰车被严重撞坏。在相隔几条街的地方发现了一辆绿色福特车，它的保险杠撞弯了，上面残留着蓝色车漆。这恰恰与奔驰车的蓝色漆一致。然而显微镜调查显示，尽管颜色一致，这些漆却是不同的厂家生产的！绿色福特车的车主是无辜的！

● 这是一盏车灯的灯丝，里面塞着一小块车灯玻璃。这说明事故发生的时候，车灯没有打开，否则玻璃早就被高温灯丝熔化，跟灯丝成为一体了。

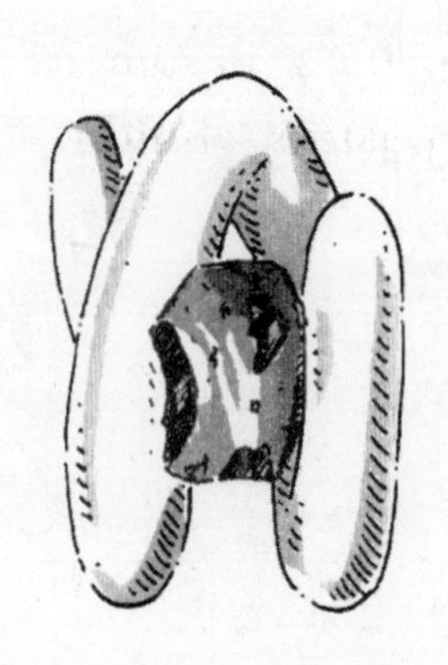

什么是伪造的线索

这幅图看上去似乎是有人从悬崖跳入了大海，然而这个迹象是伪造的。实际上此人走到悬崖边又折返了回来，只不过是踩在自己来时的脚印上罢了。

小虎队盟友破案成绩卡

会流泪的骷髅

第四只小虎

____

（你的名字）

你总计解了……

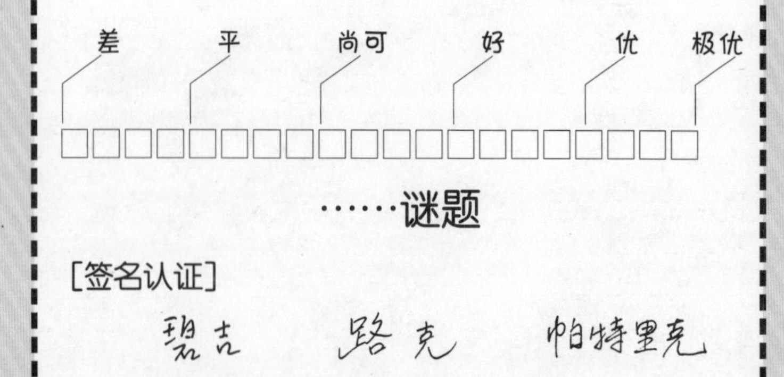

作者

名:托马斯 **姓:**布热齐纳

生日:1月 30 日 **头发颜色:**棕色

眼睛颜色:棕色 **特征:**大髭须

我喜欢:

饮食:中式米饭和意大利面条

饮料:所有一切酸的和彩色的饮品

颜色:红色

动物:我的狗——大菲

音乐:抑扬顿挫

课程:休假

业余爱好:收集钟表,喜欢拍一些疯狂的照片

我讨厌:无聊透顶的人、牛皮大王、蠢货

我梦想的职业:已成为现实

我最大的愿望:做一次月球旅行

Thomas Brezina

托马斯·布热齐纳

图字：11－2006－76 号

图书在版编目(CIP)数据

会流泪的骷髅/[奥]托马斯·布热齐纳著；刘沁卉译.—杭州：浙江少年儿童出版社，2007.1(2010.6 重印)
(超级成长版冒险小虎队)
ISBN 978-7-5342-4237-3

Ⅰ.会… Ⅱ.①托…②刘… Ⅲ.儿童文学-侦探小说-奥地利-现代 Ⅳ.I521.84

中国版本图书馆 CIP 数据核字(2006)第 142219 号

Author：Thomas Brezina　　Title：Die Stunde des Hexenmeisters　　Cover-illustrations and inside-illustrations：Werner Heymann

www.schneiderbuch.de　　www.thomasbrezina.com
Chinese language edition arranged through HERCULES Business & Culture Development GmbH，Germany

策 划 人 袁丽娟　责任编辑 吴云琴　美术编辑 赵　洋
装帧设计 裤　兜　解密制作技术 阙　云

超级成长版冒险小虎队
会流泪的骷髅
[奥地利] 托马斯·布热齐纳 著
维尔纳·埃曼 插图
刘沁卉 译

浙江少年儿童出版社出版发行
(杭州市天目山路 40 号)
浙江新华数码印务有限公司印刷　　全国各地新华书店经销
开本 787×1092　1/32　环扉 1　插页 3　印张 6.875　字数 70000　印数 595671－610695
2007 年 1 月第 1 版　　2010 年 6 月第 27 次印刷

ISBN 978—7—5342—4237—3　　定　价：12.80 元
(如有印装质量问题，影响阅读，请与购买书店联系调换)

小虎工具房

欢迎你来到小虎工具房。这里有《会流泪的骷髅》侦破行动必需的破案小工具。

情报中转站

情报中转站是指一个用来夹藏和传递秘密口信的地方。

书的皮面：把秘密口信粘在书的封面的内侧，然后重新套上书皮。把书塞回书架，收信者只需要知道书名和位置就可以了。

书脊：很多书的书脊和封面之间有空隙。把消息卷成一个小卷，塞到里面去。

大树上的信箱：把密信塞进大树的树洞里。注意，密信要包好，防止被弄湿。

情报中转站

图书馆:从图书馆里借出一本书,一个星期后归还。秘密口信可以包起来夹在书里面。你的同伴只要知道书名,就可以过来把它借走,取出密信。

纸篓:把你的密信用一个小袋子装起来,放到公园的某个纸篓里。注意,不要在纸篓即将被清空之前放密信。

图钉板:超级市场里通常都能买到图钉板。你可以把给同伴的口信留在图钉板上,当然只能是加密口信。